SANDUÍCHES DE REALIDADE

ARNALDO JABOR

SANDUÍCHES DE REALIDADE

Todos os direitos desta edição reservados à
EDITORA OBJETIVA LTDA., rua Cosme Velho, 103
Rio de Janeiro – RJ – CEP: 22241-090
Tel.: (21) 556-7824 – Fax: (21) 556-3322
www.objetiva.com.br

Capa e Projeto Gráfico
Victor Burton

Ilustração da Capa
Victor Burton
sobre *Camera Works* de David Hockney

Foto da Capa
Bia Zacarelli

Revisão
Tereza de Fátima da Rocha
Izabel Cristina Aleixo

Editoração Eletrônica
Abreu's System Ltda.

Os artigos aqui reunidos foram publicados entre 94 e 97 nos jornais: Folha de S. Paulo, O Globo, Zero Hora, Folha de Londrina, Diário Catarinense, O Liberal, Jornal do Commercio (*Recife*), Diário do Nordeste (*Ceará*).

J11s

Jabor, Arnaldo

Sanduíches de realidade e outros / Arnaldo Jabor. – Rio de Janeiro : Objetiva, 2001

275 p. ISBN 85-7302-169-1

1. Literatura brasileira - Crônicas. I. Título

CDD B869.4

"A naked lunch is natural to us,
we eat reality sandwiches."

"O método deve ser uma carne pura, sem molhos simbólicos. Visões reais e prisões reais, como eram e como são.
(...)
Um almoço nu é natural para nós, que comemos sanduíches de realidade. Mas, as alegorias têm alface demais.
Não esconda sua loucura."

Allen Ginsberg — 1954

Eu andava atrás de um título para esta coletânea, quando dei de cara com este poema de Ginsberg louvando seu amigo Bill Burroughs, muitos anos atrás, numa galáxia distante, 1954, quando se formavam as estrelas dançarinas dos anos que viriam, os "ches", os *hips*, os nós, os outros, os sins, os nãos, os comunas, os fascistas, os muito loucos, os caretas, as armas, as fodas, as paixões, as porradas, tudo já se previa ali, em 54, tatuado no peito dos *beats* implorando por drogas e esperança, enquanto o Getúlio Vargas dava um tiro no coração, iniciando sua morte que dura até hoje. Com doze anos de idade, aquele tiro me projetou num túnel de efeitos especiais de filme B. Por ali passei, num trem fantasma, até bater aqui no Brasil, ano 2000.

Fui poeta, desfiz, fiz política, desfiz, fiz cinema, desfiz, fiquei louco, desfiz, virei jornalista, sem carteirinha, acabei virando uma cabeça falante na televisão. Não sei o que sou mais.

Também, não importa. Só sei que botei minha cabeça no meio-fio, como um despacho na encruzilhada entre a história e mim mesmo. A sobra disso sou eu. Ao menos, tento não esconder minha loucura. Tenho para oferecer eu mesmo na ponta do garfo.

Dedico este livro a todos que me fizeram bem nestes 30 anos. E, mais ainda, dedico-o, de coração, a todos que me fizeram mal e me acordaram, para encarar o pesadelo desta "nova ordem", desta lanchonete maluca, onde vendo estes "mil-folhas", estas empadas, estes sanduíches de Brasil. Escolhi um por um. Podem comer sem susto. São caprichados.

ARNALDO JABOR
Julho/1997

Intelectuais Temem Invasão das Salsichas Gigantes

Ando espantado. Duvido de minha pobre razão. Há uma distonia brutal entre o que eu sinto, olhando o país (numa fase perigosamente rica de mudanças) e o que leio dos intelectuais sobre ele. Há uma onda de coisas novas no Brasil que ninguém analisa.

Eu sou um neo-romântico bobo; falta-me, talvez, a tranqüila contemplação do erro do mundo, o cético amargor dos *scholars* e professores.

Vasculho jornais e livros em busca de uma reflexão que se arrisque a errar. Só encontro textos restauradores ou desconfiados. Gente pensando na "conspiração" da História contra nós, gente preocupada em manter suas certezas vivas. Só encontro textos que passam longe das "idéias impensáveis" (*unthinkable ideas*), coisas que só de pensadas podem sujar o autor como "reacionário" ou "cooptado", o grande medo. Há uma patrulhagem sutil no mundo acadêmico. Ninguém quer se aventurar na análise da mudança histórica evidente. Diante deste "ritual de passagem" brasileiro, provocado pela globalização da economia, todos pisam em ovos. Os textos que leio (de Touraine e Kurz até os brasileiros) têm sempre a mesma estrutura "narrativa":

1) Intróito: descrição do fenômeno da globalização (alguns tendo-a como "inevitável", e outros, como "conspiratória").

2) Listagem dos malefícios desta fase histórica: fetichização das mercadorias, exclusão social, perda da identidade, dureza do capitalismo, futuro distópico.

3) Conclamação à razão: "Precisamos encontrar um dique, uma alternativa para isto!..."

4) Conclusão aberta: "O que fazer? Não se sabe..."

De todos os textos emana uma grande saudade dos "bons tempos" da plenitude ideológica, uma nostalgia do "controle", ou melhor, uma nostalgia da ilusão de esperança que o socialismo nos dava. Não sou cientista político, mas acho que está pobre a discussão dos temas óbvios deste momento brasileiro, quando estamos, sim, à beira do abismo das idéias antigas, às quais nos agarramos.

Nós estamos com saudades de quê? Afinal, quando foi "bom" para os intelectuais? Na Primeira Guerra Mundial? Nos massacres de Stalin, de Hitler, na Segunda Guerra Mundial, na invasão da Hungria, de Praga, na Guerra da Coréia, na do Vietnã, no golpe de 64, nos crimes de 68, na morte dos pobres meninos suicidas das guerrilhas urbanas? Que tempo "bom" foi este? Será que foi a época em que os intelectuais podiam ditar regras e sistemas harmônicos para criticar inimigos mais "palpáveis"? Nossos inimigos desmancharam no ar. Agora, com a invasão das coisas fragmentárias do mundo (nós que amávamos tanto nossas vanguardas "fractais", nosso teatro do absurdo...), nós nos fechamos num orgulho ferido pelas salsichas gigantes, pelo mercado sinistro, pela vitória acachapante de Bill Gates. Mesmo grandes intelectuais se fecham num desinteresse superior, não se arriscando a uma revisão de idéias, que ainda é vista como traição. Será que os intelectuais estão preocupados com a coerência ou estão emputecidos com o descentramento das certezas que esta invasão mercantil provoca? A sensação que tenho é que uma barreira de lero-lero tenta ignorar a cruel novidade deste mundo que se fez sozinho.

Roberto Schwarz tem um trecho fascinante em seu clássico capítulo "As idéias fora do lugar". Ele diz que abalar a "intenção universal" de uma idéia podia ser, na Europa, "uma façanha crítica"; mas que, aqui, a mesma "idéia" podia ser abalada pela "singela descrença de qualquer pachola". Isto seria (arrisco) quase uma vantagem desmistificadora de nosso oportunismo colonial ignaro, quase uma "originalidade" antropofágica.

Sérgio Buarque de Hollanda escreve em *Raízes do Brasil* que somente uma "revolução americana" (não "norte-americana") nos salvaria, com uma desconstituição do Estado patrimonialista ibérico e uma injeção de calvinismo em nossos estamentos seculares.

E Glauber Rocha disse, outro dia, num debate inédito de 77, que o JB publicou: "O fato de os heróis terem sido heróis não me impede de criticar seus erros políticos." E, desesperado na busca de um caminho para além da óbvia "boa consciência" militante, elogiou o general Golbery, o que lhe valeu chuvas de pedradas. No entanto, idéias assim clareiam por instantes o raciocínio obediente da academia temerosa da excomunhão.

Nosso universo mental foi moldado pelo Estado patrimonialista, pelo escravismo, pelo latifúndio e pelo "favor" clientelista. A ruptura deste universo toscamente "universal" não seria saudável para nosso pensamento? Pergunto: estamos sendo imaginosos no entendimento da crise, ou estamos agarrados em dogmas epistemológicos europeus e católicos? Como analisar a guerra entre o Uno e o Múltiplo que se trava hoje, entre o Centro europeu e o Descentramento americano?

Quais são hoje "as idéias fora de lugar"? Será que não está havendo uma guerra entre "idéias fora de lugar" americanas contra "idéias fora do lugar" européias? Será que não estamos precisando de um novo "pachola", que destrua "universais"? Há perguntas evitadas. Por exemplo: é possível refletir "à esquerda", aceitando a fatalidade das classes sociais, sem a alternativa de "revolução"? Estamos levando a sério as idéias de democracia, ou apenas executamos uma estratégia "revolucionária" contra esta democracia "burguesa"? Não está na hora de uma autocrítica cultural? De quem é a culpa de nosso atraso? Só dos inimigos externos? Até quando seremos vítimas dos outros?

Como fortalecer uma sociedade civil sem a derrubada da dependência ao Estado ibérico? Será que esta falência do Estado patrimonialista não vai justamente fortalecer a idéia de "coisa pública", que já surge, timidamente? Não é um paradoxo interessante que esta distinção mais nítida entre o "público" e o "privado" esteja sendo demandada justamente pelo nosso velho capitalismo imperialista, que precisa de regras claras para trabalhar, já que os computadores do capital não aceitam variáveis ilógicas como "amazoninos" ou "precatórios"?

E eu pergunto: será que a História do Brasil não tem sido a sobra entre o invasivo e o desejado? Será que nós não temos sido mais o resultado da pressão das forças produtivas externas, do que do lero-lero defensivo dos "projetos nacionais"? Nossos liberalismo de pacotilha, nacionalismo, marxismo juscelinista sempre tiveram um sabor de algaravia impotente diante da calma violência das coisas do mundo. Talvez esteja se completando, agora, uma revolução "protestante" contra nossa católica contra-reforma. Temos de sair das camas teóricas e ver de novo. Precisamos de "pacholas progressistas" como Oswald ou Glauber. "Por que não? Por que não?", como cantou o Caetano profeticamente.

Nossas Mãos Assassinas Matavam Milhões

A Constituição de 1988 quer a volta do ensino da religião, o que provoca lembranças do colégio jesuíta onde estudei e sofri.

A bronha, a punheta, "dar uma coça na miúda", "estrangular um pele-vermelha". A bronha vicejava em meio às aulas de religião naquele colégio de padres.

No fim dos anos 50, a única preocupação de Deus conosco parecia ser a bronha. "Será possível", eu me perguntava, "que Deus esteja tão preocupado com nossos pobres pintinhos?"

Eu tremo ao ver que querem impor aulas de religião aos colégios brasileiros. Logo agora que fica patente a absurda visão da Igreja em relação à Aids, ao controle da natalidade, ao aborto.

Não se pode usar camisinha, não se pode usar pílula, padre tem de se esvair em delírios nos claustros ou então papar beatas na doce prática da hipocrisia, enquanto o papa vaga em solidão pelo Vaticano e Edir Macedo gargalha.

"Eu pratiquei o vício solitário..." Era assim que os meninos sussurravam nas sombras da confissão (por que tenho saudades daqueles confessionários escuros, do hálito almiscarado do padre Barreto, da minha terrível solidão de menino jesuíta?).

"Quantas vezes praticaste o vício solitário?" ("Masturbação" é uma feia palavra bombeadora que veio depois.) "Vício solitário" continha uma tristeza doce e humilhante.

Lembro dos jovens padres tontos de tesão pelas mães dos meninos, que iam ao colégio com toaletes provocantes, muito batom, cabelos altos (todas imitavam a Ingrid Bergman ou a Jane Russell) e os padres entravam em vertigem. Eu via, via, do meu canto de menino. Que faziam eles para afastar o pêndulo sinistro do vício solitário?

Minha fé vacilava. Será possível que esse reles prazer de garoto fosse tão criminoso assim? Já não bastavam as mulheres e meninas, todas inatingíveis naqueles tempos? O sexo era um crime. Mas era irresistível.

E Deus e suas sotainas negras perdiam feio para Angelita Martinez (a mulher mais "boa" do mundo, em todos os tempos, quantos bronheiros da época estarão me lendo para testemunhar?) ou para Virginia Lane, ou para Mara Rubia, ou a divina Norma Benguell, estrela que subia. Eu rezava para ter fé.

O padre Ruffier examinava minhas espinhas como um guarda de fronteira: "As espinhas aumentaram nas férias, hein?..." Eu esfregava Lugolina na cara para esconder as brotoejas.

"Você sabe por que o vício solitário é um pecado mortal?", perguntava o padre. "Porque cada vez que você o pratica, são milhões ("milhõessss!", ele repetia) de seres humanos que poderiam nascer e que morrem ali na vala comum do papel higiênico ou na cloaca dos esgotos!"

Minha culpa era total. Além de odiado por Deus, além da humilhação de ver as meninas do Colégio Jacobina passando intocadas com suas bundinhas lindas e pequenos seios, além de contemplar com desespero os primeiros biquínis em Copacabana, eu era um assassino de milhões!

Eu era uma espécie de Hitler sem grandeza, um reles criminoso covarde que, além do mais, não comia ninguém. E, com a culpa na alma, matei milhões de homens, destruídos no banheiro, nações inteiras continuaram a ser exterminadas por minha mão assassina.

Minha fé quase se apagava, como uma vela pobre. O padre Barros berrava no púlpito: "Tua alma vai para o inferno queimar no fogo... por toda a eternidade!"

"Eter-ni-daaaaade!" ecoava pelos espaços siderais e eu questionava a doutrina. Deus me parecia violentíssimo, nos obrigando a queimar para sempre, por nada.

"Mas, padre, o sujeito passa a vida puro e sério. No último dia, antes de morrer, falta a uma missa. Vai para o inferno?" "Por toda a eternidaaaaade...", ecoava o bom padre Barros, implacável.

E aí surgia a pergunta agnóstica que acabava com a fé dos garotos:

"Deus é infinitamente bom?", perguntávamos. "Sim, infinitamente."

"Ele sabe tudo que vai acontecer?" "Sim...", respondia o padre, já desconfiado.

"Então, se ele sabe que fulano vai pecar e vai para o inferno, por que ele cria o cara?" Nenhum padre me respondeu essa questão atéia, até hoje.

Falavam em "livre-arbítrio", etc... Mas nada. E minha fé resistia, mesmo assim. Eu me perdia em infinitas discussões metafísicas com amigos diante do mar, minha alma se evolava para o espaço sideral, já que as doces mulatas do Rio não eram para os meus beiços.

Santo Deus, que moleza hoje esses "mauricinhos" com verdadeiros haréns de menininhas de família, que "ficam" em festas. Antes da pílula, ninguém dava. O pânico não era a Aids, era a gravidez. A gravidez solteira era uma doença venérea.

Nos anos 50, muito se exigia dos punheteiros. Não havia ainda as revistas de sexo, apenas vagas suecas em monocromia sépia deitadas em *Saúde e Nudismo*, e fora o grande Carlos Zéfiro, criador da masturbação *art déco*, nada tínhamos.

As fantasias eram narrativas. Pensávamos em professoras, nas mães dos outros. Os orgasmos eram literários: tinham personagens, conflitos, *grand finale*. Punheta era texto; hoje é videoclipe.

Com as modernas revistas pornôs, diminuiu muito a imaginação criadora dos descascadores de banana. Nossas fantasias sempre ficarão aquém da oferta da "indústria da sacanagem". Somos masturbados por ela. Tanta liberdade, de fato, nos programa.

Um dia, chegou um padre novo, "moderno", diziam. Esperança. O padre falava uns palavrões, falava em esperma, masturbação.

Era jovem e forte (muitos anos depois, vi-o sem batina vagando pelo Posto 6). Jogava futebol conosco, brigava.

Ótimo, minha fé se fortaleceu; era possível uma fé mais democrática com o padre ponta-direita. Havia um Deus mais solar, não tão negro e triste como queria o padre Barros, por toda a "eter-ni-daaade!...".

Até que um dia, o padre (nos falava de livros, filmes) nos contou uma das histórias cristãs mais belas (a seu ver) sobre a sexualidade juvenil.

Tínhamos o quê? Uns 13 anos. Pois era a história de um rapaz escoteiro (qual o nome do livro francês, *Estrela da Manhã*?) virgem, de 18 anos, forte e bonito, que estava fazendo um acampamento no Havaí. Uma tarde, ele sai a cavalo pelas praias desertas galopando, feliz em sua castidade. Aí, resolve parar na areia branca, para descansar.

Eis que... (ouvíamos em suspense) surge uma linda mulher havaiana, seminua, vestida apenas com a saia-de-palha, coberta de flores (o padre caprichava nos detalhes), que se aproxima do nosso herói virgem na areia e começa a dançar a *hula-hula*, ali diante dele, sorrindo e se oferecendo. Ouvíamos sem ar, constelados de espinhas.

Eis que nosso herói vai ficando fascinado pela linda havaiana que dança, apaixonado, febril, amolecendo como num sonho (nossa esperança aumentava). Até que a moça morena e cheia de curvas chega

bem perto dele, dançando, e lhe oferece os lábios carnudos e vermelhos. Tiritávamos de emoção.

"Foi então que se deu o milagre!", berrava o padre, eufórico. "Nosso herói, à beira do colapso, reuniu suas últimas forças e, rezando entre dentes, pulou no cavalo e saiu galopando e chorando para longe da havaiana. "E ficou casto e puro!", bramia o padre. "Venceu a tentação!" O silêncio foi brutal e desesperado.

Dava para ouvir a indignação e o ateísmo lavrando como fogo entre os alunos solitários em seus vícios. E foi assim. Minha fé morreu ali, naquela sala de aula jesuíta no ano de 1956.

Entre a Esmola e o Assalto, o Coração Balança

Olho o menino que vem em minha direção. Estou no volante do carro, no engarrafamento. Ele vem pedir esmola. Eu preferia que ele não viesse. Não que ele seja agressivo; mas ele é sujo, e sua roupinha está rasgada.

a) A Esmola

Se ao menos ele viesse sozinho, seria melhor; mas ele deve ter uns oito anos no máximo e carrega no colo um irmãozinho de (talvez) um ano. Ou seja, um menino miserável leva outro como isca para me emocionar e levar minha esmola.

Ao longe, na calçada, vejo a mãe do menino, esperando o efeito da cena. Ela trabalha nesse comércio, tão legítimo como uma exibição de cinema ou de teatro.

Assim como um dramaturgo, digamos, Grotowski, ela quer nos emocionar. A mãe também quer alcançar a empatia com o espectador e ter um sucesso de bilheteria: muitas esmolas. Ela é o verdadeiro teatro *povero*. Há mendigos-sucesso e mendigos-fracasso, como no cinema brasileiro.

O menino maior (o menor dorme no colo) se comporta como bom ator. Sua voz tem um *tremolo* de desamparo e procura olhar dentro de meus

olhos, se bem que eu evite olhá-lo. Mas ele consegue a suspensão de minha descrença (*suspension of disbelief*). Sou tomado de funda emoção (coisa rara, porque tenho me esforçado para não me deixar levar por sentimentos humanitários, obrigação de todo carioca moderno).

Mas, como é uma criança carregando outra (bom roteiro: o "frágil protegendo o frágil"), meus olhos ficam úmidos. Por alguns segundos, sou grato ao menino-mendigo, pois sua imagem com o bebê me deu a rara bênção da comiseração, da piedade. Eu me sinto feliz por ser tão "bondoso".

Meu primeiro impulso é dar logo um dinheirão ao menino, mas controlo-me, para não ceder ao óbvio, e dou uma esmola normal, sem olhar para o garoto que me olha sem parar. Sua mãe me olha a distância também, checando o efeito de sua *mise-en-scène*. Mas eu não olho para eles.

A riqueza não olha a miséria, mas a miséria olha a riqueza. Não olho, para não sentir culpa e também por motivos estéticos. A miséria não é plástica, ao menos ao vivo. Em *instalations* ou em filmes, tudo bem, já enriqueceu produtores e artistas (como o menino dá lucro à mãe). O chato é que a miséria nos lembra que a morte existe. Como quero esquecer a morte, não olho o menino.

Assim que dou a esmola, tenho um tremor meio histérico contra a situação brasileira, contra os políticos e os ricos. Acelero o carro, e a indignação me enobrece. Santifico-me no meu ódio contra os egoístas que fazem o mal do mundo.

De certa forma, eu saio lucrando com a esmola, que até foi barata em relação ao consolo que me deu. Estou apaziguado; cumpri meu dever, paguei meu pedágio ao miserável por ter carro, casa e comida. A miséria ali cumpriu uma função estabilizadora das regras sociais.

A esmola me consola mais do que ao menino. Estou excluído da injustiça social, já que me indignei. A injustiça é feita por outros; eu estou fora. A miséria virou apenas um *affair* mal resolvido entre o menino-mendigo e os "outros", os malvados do mundo. Ou seja, a caridade me fez bem. Foi um negócio honesto entre mim e a mãe do menino: eu dei a esmola, ela me deu consolo, sua mercadoria. Esmola também é mercado; se bem que eu acho que saí lucrando, numa espécie de mais-valia que extraí da esmola. *Good deal.*

b) O assalto

Outro cenário seria o do assalto. Estou no carro no mesmo lugar, e um pivetão me mete um revólver na cara e me leva o relógio, talvez o carro, talvez me mate. Excluamos minha morte, por enquanto, para sentirmos o *after-taste*, o *arrière gout*, o sofisticado sabor do assalto.

O assalto inverte tudo. Eu sou a vítima, não mais o miserável esmoler. A pobre pessoa sou eu, num primeiro instante. Cheio de medo, tenho de soltar a grana para não morrer.

O assalto é a esmola ao contrário; você recebe a graça de viver se for humilde, se for convincente e inspirar piedade. Eles é que te dão a esmola.

Além disso, o assalto desconstrói terrivelmente o meu universo. A miséria perde seu rosto secularmente doce e triste e ganha a face da vingança. A injustiça social que se abatia sobre eles é desviada sobre você. Você é que passa a ser vítima de uma injustiça social. E, mais terrível ainda, aqueles pobres-diabos que tinham a missão de manter a sociedade funcionando na eterna e morna injustiça se rebelam e passam a ter um "quê" de político.

Há algo de revolucionário no assaltante. Nos anos 60 já foram heróis-marginais. Há um sabor de sacrilégio no assalto. O assalto não te exclui; ele te inclui. Não te salva, como a esmola.

Você é que é culpado de ter posses, não os "outros", os tais malvados abstratos. No assalto, você é vítima e culpado. Isso provoca um clima de

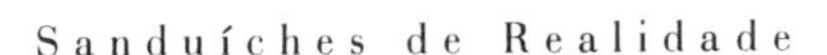

confusão no mundo. Não estamos acostumados a essa ambigüidade. Mais ainda se você for um humanista, defensor dos pobres e oprimidos, um petista, talvez. Nada mais triste que um petista assaltado.

No assalto, você é arrastado para um processo de incriminações e vira uma peça na vasta corrente do capitalismo selvagem, que começa talvez em Wall Street e termina ali no teu relógio.

Retraçando o mapa, vemos que teu Rolex foi comprado com o dinheiro que teu pai deixou da fazenda que o avô tinha dos tempos da escravidão. Pronto. Você faz parte do mundo dos exploradores.

Não há perdão no assalto, nenhuma redenção para nós. Além de nos levarem a grana, a culpa é nossa. Com o fim da caridade, todos nós ficamos suspeitos. O fim da caridade tem alguma utilidade. Acaba o tempo do escândalo bondoso e começa a verdade da violência.

Cinema era Câmera na Mão e a Dor na Cabeça

Meu único orgulho era meu sofrimento. Na época do Cinema Novo, eu só tinha dois sentimentos alternados: ansiedade e frustração.

Você não sabe, amigo, o que era filmar. Eu devia filmar minha vida. Poderia se chamar "O Oito e Meio dos Desgraçados". Quer mais um chope? Vai que eu pago. Não dá para te explicar tudo que eu sofria no Cinema Novo.

De modo que eu vou contar por "metonímias". Ahhh... Metonímias... Sabe... A parte pelo todo... Cenas que ilustram por... Ahh... Síntese, o conjunto do "bodão", sacou? Vamos lá. Ação!

*

O diretor-financeiro da multinacional me deu um pontapé debaixo da mesa. Perguntei: "Que é isso?" Outro pontapé. "Não sabe o que é *kickback*? É 'rebate'." Entendi que eu tinha de dar uma grana para ele, senão não tinha patrocínio. Dei. Assinei recibo de 100% e levei 50%.

Embrafilme. Na minha frente, um burocrata. A boa apresentação do roteiro contribui para o financiamento do filme. Ao meu lado, um cineasta tem um roteiro chamado "Ikebana", sobre flores japonesas. Meu roteiro era de índios e colonos.

Ouço uma música ao lado. O roteiro do outro tinha luzinhas piscando, musiquinha saindo da caixa e flores de plástico. Elpidio, o burocrata, não se emocionou. O outro não foi financiado.

Eu sim, que tinha puxado o saco do funcionário o ano todo e trouxe do Paraguai um perfuminho Eau Sauvage para ele.

*

Filmando na Mata Atlântica. Lama, índios e candomblé. Chove. O assistente grita: "Os índios estão afundando!" No pântano, os figurantes foram afundando. Pescamos os índios. E um maquinista dá um grande esculacho nos índios, já grilados. Xinga, xinga.

Percebo um zunzum entre uns índios. Pergunto: "O que foi?" O índio: "Nada. É que o pessoal aí resolveu matar o Noronha." Dou uma grana pro cacique. Despeço o melhor maquinista, marcado para morrer.

O assistente me diz: "Chove a 'píncaros'!" Mando construir um teto na floresta. Era melhor ter filmado no Parque Lage. Estávamos nos anos 70. Todo mundo "viajando" de LSD. Menos eu, claro. Alguém tinha de ficar careta naquela zorra.

Os dois atores principais, dois "hipongões" da pesada, surgem de tranças com fitinha azul e falam numa língua desconhecida — sânscrito? Estavam "viajando" de Artami, droga contra epilepsia que dava um barato sujo.

Depois, eles me contaram que, em seu delírio, eu me transformava numa bruxinha velha que os xingava. E depois eu virava eu de novo. Prejuízo por dia perdido: US$ 15 mil.

*

Todo mundo comendo todo mundo. Menos eu, claro. Eu ia dormir às 23h e acordava às 3h, para observar a maquilagem dos 200 índios e pretos. Os maquiladores viados patolavam os figurantes e atrasavam a filmagem. Eu tinha de vigiar. Arte é isso...

O ator principal resolve papar a mulher do outro ator. Ferido de ciúme, o profissional toma um porre no baile do vilarejo e bate no prefeito, que pede a intervenção do Exército na filmagem dos comunistas pornográficos e drogados.

Puxo o saco do general e despeço o elemento-corno com humilhação. Lágrimas da adúltera e porre do galã que, por amargura, tomou um "pico" na veia do pescoço. Mais US$ 30 mil de prejuízo.

*

O índio chefe Peixe Vermelho, o querido Tep Kahok, vivia bêbado, por exclusão cultural. Era um índio traumatizado. Briga com a mulher e vai morar na minha casinha.

Que jeito? Leva uma jibóia de estimação com ele. "Aquela vaca, tudo bem, mas minha jibóia vai comigo!" Durmo num quarto, Tep no outro e a jibóia na sala.

Tep enchia a cara e ficava cantando em carajá com a cobra: "Kê kê corrirá rarê..." A jibóia era legal.

Todo mundo no LSD e eu careta. Eu fui virando o "cortador de onda", com aquela "mania de filmar".

Um dia, meu assistente, braço direito, me chama num canto e me mostra um pescador de 15 anos. "Ele é meu noivo... Virei viado!", diz.

Dois meses na lama e as baixas aumentam. Tem gente que não agüenta, "pira". Meu assistente casou e mudou.

O filme, que era a história de um fracasso histórico, foi ficando à altura do conteúdo. Vou ficando sozinho na lama. O dinheiro acabando. Cem

"guerreiros negros" figurantes me esperam na porta, de madrugada. Ou pago, ou morro. Ao fundo, Tep canta: "Eê... ê... Paranã, ê, paranã", com a jibóia.

Suspendo a filmagem, pego um avião, vou ao Rio, me ajoelho aos pés do dono do banco, o Joãozinho "Mamãe" (se lembra dele?) e ele me empresta uma grana. Volto, pago os crioulos.

E vou terminando a filmagem, eu mesmo batendo a claquete. "Câmera, ação!" — eu sozinho.

Começa a faltar comida. Os índios começam a nos humilhar, em troca de uma galinha e um ovo. Posso dizer que já pedi esmola a índio.

Tep Kahok nos salvou. Ameaçou de morte o outro cacique que se tocou e nos deu ovo e chuchu.

*

Termino o filme. Vou a Brasília, para a censura. Ai de mim... Até hoje, quando desço em Brasília, lembro-me do chefe-censor. Chamava-se Romero Lago. Mas era impostor. Nome falso, soube-se depois. "Dr. Lago... 'Merda' pode?... Que que tem?"

"'Merda' eu não abro mão. Corta!" "Mas, Dr. Lago, a 'merda' está no meio da cena principal..." Tive de cortar.

"Filmezinho comuna, hein? Disfarçadinho, pensa que não sei? Corta aqui, ali..." Todo cortado, chega o lançamento.

Vou até a porta do cinema ouvir opiniões, já que ninguém me conhecia. Uns cinéfilos conversam. Chego perto, orelhudo. "Mas que merda de filme, hein?", diz um jovem pálido. Eu, covarde: "Tem coisas boas... Esse diretor é legal..."

O bilheteiro me diz, em pânico: "Vou embora... Veio um cara lá de dentro, brabo, e me disse: 'É o seguinte: Eu não sou burro, mas não entendi nada desse filme! Vou assistir de novo. Se eu não entender, te encho de porrada!'"

*

Pela manhã, o gerente do banco mandava a secretária me ligar cedinho para cobrar promissórias. Vendi minha Kombi cinza e creme para reformar o papagaio.

Saio do banco quase chorando, ali na av. Rio Branco. Encontro dois colegas da faculdade de Direito. Terninhos, gravatas.

"Cara, tu é que é feliz, hein? Mamando nas tetas da Embrafilme, camisa de marinheiro... Diz aqui... Tu tá comendo essas atrizes todas, não tá?"

Minto, modesto: "Não posso reclamar..." Olham para mim com inveja... Saio chorando pela Rio Branco.

Eu Tomei a Canja das 13 Galinhas

Jantando num restaurante de luxo, podemos ver a maquete da loucura nacional nos preços relativos.

Um amigo disse que eu preciso ser mais "perfunctório". Eu não sabia o que era. É uma dessas palavras que não dão vontade de conhecer. Mas, olhei no dicionário, depois de dizer muito sério: "Tem razão, preciso caprichar..." "Perfunctório" quer dizer "ligeiro, superficial". Ou seja, que eu preciso deixar de ser besta e menos metido a profundo. Seja leve, seja "perfunctório", dissera meu amigo. É feito "conspícuo". Já olhei várias vezes e sempre esqueço. "Conspícuo" me parece coisa erótica, perversa, coisa de glutão. É o contrário: "grave", "ilustre". Pois tentarei não ser conspícuo e sim perfunctório.

Muito bem, eis que estou conversando com Mme. G., conspícua empresária, falando sobre a economia brasileira, e ela, desanimada com a recessão, diz que vai fechar tudo e aplicar em CDB. Isto nos fez tristes e nos deu uma fome danada. "Vamos tomar uma sopinha ali no Antiquarius, na Alameda Lorena", digo numa doce melancolia *yuppie*, suéter velha, sopinha rápida, temperada com *aisance* culta. Entramos no Anti-

quarius e aí começou uma estranha microfísica dos hábitos urbanos da elite. E meu artigo perfunctório.

O Antiquarius é uma casa portuguesa, que mescla antiguidades com bacalhoadas. A casa tem tapetes macios, sussurros de *maîtres* delicados que sabem teu nome. Meu ego, com tão fundo subúrbio na alma, teve um *frisson* de orgulho. "Cá estou eu, filho do Engenho Novo, dentro da burguesia paulista, deslizando entre alfaias que nos fazem sentir parte de uma nobreza colonial." Mme. G. pede ao *maître* um bacalhau grelhado com legumes e eu, supremo requinte, declaro-me indisposto e peço uma canjinha bem simples. Isto me deu o prazer de desdenhar todo o barroco manuelino dos pratos portugueses, em prol de uma frugalidade *chic*.

Vêm os pratos, em meio à nossa conversa sobre a crise nacional. Provo minha canja de galinha e lembro do fumegante caldo que alimentou Jacinto, em Tormes: "E tinha fígado e tinha moela, e seu perfume enternecia." Essa não tinha miúdos. Mme. G. comeu a fina *tranche* de bacalhau. Tomamos água mineral e, de sobremesa, um creme de papaia. Veio a continha: 112 reais, gorjeta não incluída, ou seja, total de 123 reais. Quebrou-se nosso mundo de sossego. O garçom me olhava com um misto de simpatia e vingança, diante de minha indignação. "A culpa não é sua, claro, companheiro!", gemi, como se um súbito petista aflorasse em mim ali, um petista requintado, um revolucionário gastronômico. "Chama o *maître*!", digo com revolta e humilhação.

"Perfeitamente, Dr.", murmurou o *maître* lisboeta, gentilíssimo. "Tem certeza que esta conta está certa?" "Está sim, Dr."

Verifico que a canja de galinha custou 25 reais e a febra de bacalhau custara 40 reais, a papaia, 14 reais. Fui perfeito e fulminante: "Traga-me a nota fiscal discriminada, que quero publicar no jornal!"

Uma pequena desestabilização se deu no universo português. Eu me revoltara! Senti-me um colono em armas, questionando impostos no dia

da “derrama”. Veio a nota fiscal. A voz do garçom se aflautou. “Perdoe-nos, mas nos esqueceu o desconto para jornalistas, pois...” A nota mostrava 86 reais de total. Triunfei então e recusei o tal desconto, humilhado e cheio de grandeza. Mandei vir outra nota com o total antigo. Triste preço para um jornalista: descubro que só valho quarenta reais. Chega a nota fatal. E lá consta: “frango g. 25 reais”.

“Eu não comi isto. Tomei canja de galinha. Que é frango g.?”

“É que nós não temos canja de galinha no menu”, me sorri o *maître* tentando uma fina navalha entre a gentileza e a ironia. Doeu-me esta negação de séculos de um prato português tradicional e o absurdo da resposta. “Como, não têm? Eu tomei canja!” “Sim, tomou, mas não servimos...” “Como não serviram, se eu tomei?”, digo me sentindo meio irreal.

“Nós não servimos canja de galinha, por isso consta ‘frango g.’. Não há canja no computador...”

“Mas ‘frango g.’ pode ser interpretado como ‘*grillé farci avec des truffes blanches*’, o que justificaria o preço louco”, disse eu. “Sim, doutor, mas canja nós não temos.” “Então, eu não tomei!?” “O senhor tomou, mas nós não servimos.” Rondava-nos a aragem de uma anedota.

“Tudo bem; se não servem e eu não tomei, logo, não pago...” “Como o senhor quiser...”, sorriu-me gélido o *maître*, numa superioridade lisboeta. “Mas, eu faço questão de pagar a canja que tomei — não tomei?” “Sim”, sorriu Mme. G. “E exijo que conste ‘canja’!”

O *maître*, então, aceitou meu reles realismo. Trouxe a nota constando: “Canja de galinha 25 reais”. Mme. G. segredou-me: “Um frango custa 1,60 reais o quilo!” Entrei num assomo político, dirigindo-me ao garçom baixinho como um Vicentinho num comício do ABC: “Com os teus dez por cento, a canja custa 27 reais! Ou seja, companheiro, foram necessários 13 frangos para fazer esta canja. Uma canja pelo preço de 13 gali-

nhas brasileiras cacarejando pelo mundo, suas moelas e corações batendo! Pode uma coisa destas?" O garçonzinho baixava os olhos, temendo ser incriminado num conluio político. O *maître* gozava o drama com a frieza dos vencedores e uma ponta de desprezo por mim. "E este bacalhau?", continuei. "Um quilo custa 18 reais", sussurrou Mme G. "Pois aqui não tinha nem 250 gramas!", gritei, chafurdando no detalhismo de feirante. Sentia-me um fiscal ridículo da Receita. Pensei nos bilhões depositados nas Bahamas pelos acionistas do Econômico. Vi Angelo Calmon de Sá rindo de minha medíocre batalha. Mas, me aferrei naquela mixaria. Pensei em minha avó, que dizia: "Para quem é, bacalhau basta..." Fiquei com medo que o *maître* me dissesse isto. Ainda discursei ao garçom, que evitou meu olhar: "Não é pelo dinheiro (ostentei largueza de meios), mas pelo Brasil!" Alguns burgueses próximos me olhavam com tédio bovino, uns americanos discutiam sobre minérios, e eu ali, aferrado em 13 galinhas mortas nadando no próprio caldo. Baixou-me a certeza da insolubilidade do Brasil de hoje. Sentia-me *coincé* entre forças invencíveis: o desinteresse dos burgueses gordos cuja conversa eu atrapalhava, americanos fechando negócios, o garçom fugindo de minha aliança "operários-intelectuais", e até um pouco de vergonha diante de Mme. G., pelo que podia parecer apenas um reles pão-durismo *enveloppé* de ideologias. Tudo parecia uma maquete da vida nacional. Eu me sentia um FHC tentando conciliar o inconciliável, quixote em meio às forças desatentas.

Paguei a conta e fui saindo, de cabeça erguida e vagamente humilhado, muito olhado pelos fregueses boquiabertos, sentindo-me um comunista tardio. O *maître* ainda atirou, gentilíssimo: "Fale mal, mas fale de nós..." E, num clarão, ficou visível que nada mudaria. Aquele micromundo feito de quindins e toucinhos-do-céu era uma prova do grande pudim inercial do nosso destino. Eu estava querendo uma lógica de sobriedade para um mundo que deseja o luxo e o supérfluo. Ninguém ali queria canja de

6 reais. Não teria graça. Assim, até os pobres poderiam ir comer no Antiquarius. Começariam pela canja e, depois, sabe-se lá o que iam pedir?

Não há no Brasil desejo de democratizar o consumo. Preços baixos prejudicam o luxo do privilégio. Nossas elites querem o atraso para usufruir a diferença. E foi isto aí: quis ser perfunctório e acabei fazendo ilações conspícuas. Ainda na porta, lembrei que tinha pago os 112 reais e que não fora incluída a gorjeta do garçom. Ainda vi o rosto do baixinho. Quem acabou pagando o prejuízo foi, claro, o povo.

Rolling Stones não são apenas *Rock'n Roll*

Shows da banda no Pacaembu nos colocaram dentro de um grande momento da cultura do século 20.

Quando a serpente soltou uma língua de fogo e o show começou debaixo de chuva e raios e Mick Jagger entrou de casaco vermelho, parecia que estávamos num outro lugar, que não em São Paulo. Estávamos no futuro ou no passado? Estávamos no futuro do passado dos anos 60.

Não era apenas mais um megashow, como os gelados eventos de estrelas frias como Madonna e Michael Jackson. Nos shows dos anos 90, há um abismo entre nós e eles. Nós somos os olheiros, os otários, os fracassados. Eles são os deuses. Há também um claro desígnio de que aquilo que se passa ali, entre holofotes e caixas, seja um corte para "fora da vida", que nada tenha a ver com o mundo real, e que, ao contrário, seja um *break*, uma viagem, um esquecimento.

Madonna organiza uma orgia programada, uma falsa liberdade de robôs perversos; Michael Jackson começa como Fred Astaire e termina como uma Xuxa negra, querendo nos convencer de uma sexualidade *hyper*, para esconder sua pobre pederastia inconfessada. O mundo não

existe nesses aquários gelados. Só os ídolos e seu êxito, sua imortalidade falsa, seu não-sofrimento fingido, seus corpos de clones. Jackson e Madonna e outros menores são *covers* de si mesmos, peixes fora d'água.

Agora, não. Agora o mundo mudou, quando os Rolling Stones começam a tocar "Not Fade Away". Vejo que um enorme gancho vem do céu e nos une a eles, todos debaixo da tempestade. Para os Rolling Stones, nós não somos os "outros", nem eles são os únicos. Sua tradição demoníaca é falsa. Ali estão os românticos heróis dos anos 60 cantando na chuva, ali estão nossos irmãos, pessoas heróicas que não andam em cabines de plástico protetor, nem fogem de nós com desdém.

Há nos Stones um visível afeto pelas massas. Dinheiro não esgota o assunto. Eles cantam também para não morrer, eles querem nos passar alguma coisa para além de seus egos triunfantes. Para além dos aplausos, há uma utopia ali.

Só isso explicaria a heróica resistência a três horas de temporal, sem um ríctus de mau humor que os closes do telão de cristal líquido revelariam, sem um momento de mecânico egoísmo nestes senhores, que cantam há 32 anos (quanto ainda agüentarão?) e que estão aí à nossa frente, celebrando uma revolução vitoriosa.

Estranha coisa esta grande cobra voltada sobre si mesma, este mega-negócio capitalista se denunciando como um corpo exibindo seus erros tatuados. A máquina do mundo se autodecifra nos Rolling Stones, um dos poucos momentos onde esta utopia de massas se realizou, momentos como "Apocalypse Now" ou até dos próprios Beatles, mas (neles) pela propagação de um sonho lírico de paz.

Mas não é denúncia nem subversão de nada o que eles trazem. Não é conceito; é matéria. É o outro lado do Mal que eles mostram e provam; mostram a cobra e mostram o pau. É o Bem que o mal do mundo segrega, é a Razão que o progresso da loucura deixa cair na arte, é a reflexão que sobra, sem querer.

É um bolo de 30 anos que eles nos oferecem, um bolo do Bem feito de Mal, como aquele bolo de aniversário do "Let It Bleed", o presente que ganhamos ao fim desta longa viagem escrita em seus rostos *ravagés*, no sorriso melancólico de sabedoria de Charles Watts, no *cold turkey* (a "síndrome de retirada") de Keith Richards com seus olhos cansados de tudo que não o satisfez, e que vemos na recusa atlética de envelhecer de Mick Jagger.

Que filósofo viveu e se gastou mais que estes homens que atravessaram o túnel do consumo, através do sexo, dos milhões de dólares, dos aplausos absolutos, da desmaterialização total do indivíduo? No entanto, eles não enlouqueceram, contra a vontade do mundo que matou Marilyn, Jimi, Joplin e que dissolveu os Beatles na vagina de Yoko Ono. Eles chegam do outro lado com a paródia de si mesmos nas mãos, sábios e fraternos conosco, a população de excluídos do baile mundial que somos.

Os Rolling Stones são também de um Terceiro Mundo. Saíram de um ovo de múltiplas exclusões: a música negra, a fixação na batida do *blues*, o rancor como partida, o veneno contra o Bem instituído, sementes proletárias da cidade onde nasceram, o diabo contra Deus. E de tudo isto fizeram uma vitória no Mercado, onde todas estas propostas costumam fracassar.

A presença dos Stones nos dá a sensação de uma grande relevância. Alguma coisa de muito importante aconteceu ali. Num mundo onde tudo desaba em insignificância, este sentimento é raro. E, olhando em volta nas arquibancadas, vemos que eles estão no fim e no topo de uma "história anterior", uma história psíquica do século 20, uma história que se acumula dentro da carne das pessoas.

Está ali pulsando no meio da banda uma idéia de liberdade muito mais ampla que qualquer esquematismo político. Matthew Shirts, o antropólogo da Vila Madalena, me diz: "Eu fui educado pelos Rolling Stones."

Esta educação sentimental está visível nas pessoas que mudaram ao ouvi-los nos últimos 30 anos.

O palco se acendeu em mil luzes, nas telas se projetaram línguas flamantes, mas em nenhum momento houve qualquer gosto *camp*, nenhuma monumentalidade "para massas". Não havia nenhum clima de grandiosidade fascista ou ritualismo místico; apenas um grande lixão tecnológico transcendental.

Ao contrário, a tecnologia estava toda montada com ironia em direção às forças da magia primitiva (desfile de símbolos rupestres nos telões, mandalas) ou faziam uma desmontagem crítica das imagens da modernidade.

Claro que é palhaçada invocar erudição para falar de um show de *rock*. Mas este transcende a coisa e vira um evento em que os conceitos vão correndo atrás em desespero, tentando encaixar interpretações. Adorno, que não reconheceu nem o *jazz*, se disfarçaria de pipoqueiro ali no Pacaembu, diante da genialidade do fato.

Os Stones são modernistas, e a emocionante beleza desta esperança derruba o mundo envolto em cinismo. Não se trata de desobediências. A coisa dos Stones é afirmativa, é uma luta contra a traição à natureza.

Na "nova ordem criminal", continua a guerra milenar entre a caretice e a liberdade. O mundo nos quer cada vez mais obedientes, produtivos, frios. Os Stones são quentes. Juntos a Bob Dylan, são os últimos exemplos vivos dos que ajudaram a corroer os reacionários. E sua "revolução" (palavra pouca) é muito mais profunda e nunca vai sair de moda, pois é pulsão de vida, rebeldia pelos nossos direitos naturais. Os Stones lutam contra a extinção de nossa animalidade pulsante.

O Ânus Ameaça Nova Ordem Mundial

Durante um atentado, um intelectual contemporâneo reflete sobre as crises que abalam a "cultura da certeza".

Ele gritou quando foi agarrado por trás. Seus livros caíram na lama do beco escuro. O terrorista argelino fundamentalista tinha um turbante sujo e uma barba cerrada. Ele prendeu numa gravata o intelectual humanista, que tremia ao contato da lâmina de seu punhal, ali na ruela sinistra de Argel.

O intelectual tinha os olhos esbugalhados (logo ele, o celebrado autor de *Multiculturalismo e Diálogo*...) e gemia de pavor, pois sabia que os fundamentalistas do GIA (Grupo Islâmico Armado) degolavam artistas, pensadores e turistas do mundo "limpo". Agora ele estava ali no centro da tragédia, naquele beco da peste de Camus. O argelino rezava feliz: "Oh, Alá! Mais perto de Ti no paraíso eu estarei a cada intelectual infiel que eu matar! E quanto mais eles gritarem na hora da degola, mais amado eu serei por Ti."

Por isso, a faca do argelino era uma adaga cega e enferrujada para prolongar o martírio do autor do também *best seller Sedução do Mal* (Gallimard, 290 págs.).

Mas, mesmo com a faca na garganta, o intelectual não escapou de pensar. "Este argelino podia fazer uma boa limpeza em nosso meio cultural!", e seu pavor teve o lampejo de um sorriso. O argelino rezava e passava em seu rosto o punhal rombudo. "Quanto mais medo, mais paraíso...", pensava o islamita. O intelectual europeu finalmente se sentia vivo, "real", pela primeira vez, agora que ia morrer. Sua cabeça não parava, mesmo *in extremis*. ("Penso, logo ainda existo!") Olhava o seu carrasco e via nele um vírus. E foi ali que, subitamente, entendeu um vago pensamento que se adensava dentro dele. Toda a confusão da modernidade pós-ideológica (como ele falava entre seus colegas da Anistia Internacional) se simplificou. Ali, num claro instante, a máquina do mundo se abriu. "Era isso!", pensava e tremia, "era dali que viria o novo tempo! Ali, do cu do mundo, do cu da humanidade, ia nascer a 'nova ordem virótica'! Os vírus estão se mobilizando. O terrorismo é um vírus, a Aids, o Ebola é um vírus!"

Sentiu euforia e pânico, diante do punhal e do entendimento. "Claro, tudo viria de novo da África e da Mesopotâmia, Argélia, Irã, os berços da civilização! Era talvez a vingança da miséria, a volta dos excluídos! Sim!", pensou.

E os males do mundo atual se fechavam como um anel lógico. "Claro, o japonês da seita louca era um vírus também, gordo, letal, soltando um grande gás anal nos intestinos do metrô de Tóquio. Ânus, sim, o ânus. O Ocidente se puniria pelo rabo. Tudo estava vindo do ânus do mundo, como uma grande cloaca maldita, origem e fim de tudo!"

Ele lembrou dos americanos *gays*, que, nos anos 70, "davam" para os negros do Haiti, no turismo sexual do país que exportava sangue e plasma (Hemo Haiti Inc.), o Haiti dos rituais sangrentos dos macacos do vodu. E depois (ou antes?) os macacos verdes no fundo da África, junto com os negros excluídos, os danados da Terra, as origens virando fim, se vingan-

do por onde? Pelo túnel do ânus dos brancos ricos entraram os vírus do marco zero: miséria, fome, macaco, pênis preto, homem branco.

"É terrível", pensou o intelectual com o gasganete apertado pelo árabe que agora cantava uma oração fúnebre, "tudo vem do fundo da sujeira do Zaire; por que nenhum vírus sai da história limpa de Nova York? O desespero do Ocidente diante da Aids e da miséria não é o medo da morte. O grande horror vem da queda do mito da competência. Os heróis americanos são os campeões da supereficiência, megapaus-para-toda-obra, heróis do *do-it-yourself*, cuja bíblia seria uma transcendental *Popular Mechanics*. A causa do medo é o fim da ciência onipotente, que deveria descobrir a cura para tudo. Mas, na realidade, um crioulo fugindo do Zaire pode destruir o Ocidente. O vírus do terrorismo e da Aids abala muito a 'cultura da certeza'. Mais que a 'cultura da reclamação', como quer Robert Hughes, a América quer certezas, princípio, meio e fim, quer que tudo fique iluminado pela luz dos supermercados."

Ali, com o argelino rosnando para ele, o intelectual lembrou-se com saudade da limpeza dos ambientes do Ocidente: a fórmica, o aço, os mármores sintéticos, o mito da higiene total, a alegria do conforto, onde se podia esquecer o mundo sujo dos excluídos. "Nunca ninguém questionou a injustiça política do conforto. Nunca pensamos no crime de um detergente, no pecado do ar-condicionado, da higiene. A África nos acusa. Os excluídos não querem ser esquecidos. Os psicopatas, os aidéticos, os favelados-vírus do Rio, todos atrapalham a esperança de ocultar a morte. A perfeição higiênica revela o desejo obsessivo de controlar tudo, até os mortos maquilados nos velórios de Los Angeles", pensa.

O terrorista ria com muitos dentes e lhe mostrava a faca suja. "Uma grande revolução anal sacode o mundo!", meditou o intelectual em seu martírio.

Ele queria parar de pensar e só sofrer. Não conseguia. "O pensamento é um vírus", disse uma vez William Burroughs.

O lamento do árabe assassino subiu para uma modulação aguda, sinistra. "Por absurda ironia", continuou pensando com pavor, "os vírus e os loucos abriram uma brecha de liberdade no mundo do controle! Os corpos mutilados de Sarajevo humilham a União Européia, o delírio de um vírus-*yuppie* destruiu o banco Barings e humilhou a 'nova ordem econômica', a guerrilha virtual de Chiapas humilha o Nafta, e as feridas da negrada do Zaire vêm sujar nossos *halls* impecáveis. É o sujo contra o limpo. É o fim da ilusão do controle. À ilusão do controle do socialismo seguiu-se a ilusão do controle pelo mercado liberal. Claro que nunca houve controle de nada. O fim dessa ilusão criou essa paranóia. A guerra nuclear ao menos era um misto de terror com encantamento. Havia um certo orgulho tecnológico naquele suicídio possível. Agora somos exterminados pelas infecções hospitalares, pelos retrovírus, os macacos verdes, a crioulada miserável, Santo Deus!"

O terrorista lhe ameaçava com maldições crescentes. O intelectual pensou ainda em Camus. "Este sim, estava certo quando riu da esperança do historicismo 'racional'. A peste é isso: já que a história dos homens não progride, a história dos vírus se aperfeiçoa. Os microorganismos ameaçam o sonho ocidental. A cultura ocidental da certeza busca uma engenharia genética do destino!", pensou com vaidade o intelectual. Gostou da frase. Foi quando a faca rombuda lhe cortou a garganta e seus gritos fizeram sorrir o argelino fundamentalista, que se sentiu mais perto de Alá!

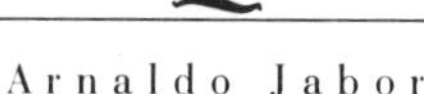

O Homem Mais Forte é o que Está Mais Só

"O homem mais forte é o que está mais só", foi o que ele pensou, lembrando de *O Inimigo do Povo*, de Ibsen (afinal, era um ex-intelectual desempregado). Pensara nisso para se consolar, porque estava numa ruim. Separado da mulher, sem programa, sem grana e no apartamento emprestado pela tia. A frase de Ibsen dava um pouco de dignidade a seu desamparo.

Sentiu-se uma vítima nobre do amor. E sorriu tristemente, depois de mais um dia terrível em que o patrão e os colegas desconsideraram seus mais finos anseios, depois de um engarrafamento pavoroso sob a chuva que crescia, depois do escuro tubo do elevador de serviço.

Então, ele correu para o único alívio que ainda tinha, depois que aquele vodu da mulher o abandonara, que era apertar um botão da TV e ver o apresentador do jornal da noite falando talvez da fome no Burundi, de colchões queimados nas prisões em revolta, de uma bela fraude nas eleições, ou de uma grande escrotidão burocrática que, quanto pior fosse, mais o consolaria.

As desgraças do mundo atenuavam as humilhações do dia. Lá fora a chuva aumentava.

Apertou o botão, mas a TV não ligou. Só veio uma luz negra do fundo da tela e mais nada. Foi tomado pelo terror da solidão completa e começou a percorrer os canais que outrora floresciam naquela janela luminosa.

Mas a TV só emanava uma luz esverdinhada, até que num canal remoto ele ouviu ao longe um ruído parecido com vagas frases em italiano, uma espécie de Gugu Liberato vindo de Roma-*kitsch* (até o cafajestismo italiano o salvaria), mas tudo virou uma chuva negra em segundos. Mudou o canal e pensou ouvir uma voz distante falando de um furacão na Flórida. Por alguns segundos, pensou nas ondas enormes destruindo Miami, mas era só impressão.

Súbito, com um grito de esperança, arrojou-se para o quarto da empregada em busca da 14 polegadas preto-e-branco. Mas, o quartinho estava vazio de TV, pois a Silvaneide tinha levado o aparelho para divertir a mãe com dengue na enfermaria do Jacarezinho.

Voltou ofegante, rodou o dial e conseguiu outro lampejo de imagem esgarçada, cor de fezes de bebê, sem som, em que um polvo comia um caranguejo que se torcia entre os tentáculos, e o polvo e o fundo do mar foram para ele uma fonte de poesia fugaz. Ele se imaginou em Bali, mas a turva imagem também se apagou para sempre.

Em pânico, ele correu à janela. A chuva tinha piorado; agora a torrente passava arrastando dois carrinhos e um homem de terno gritava, agarrado ao poste da avenida; as forças do homem estavam se esvaindo, mas ele, obstinado, voltou à TV; mas agora só lhe restava a tela fervente do *poltergeist* preto-e-branco.

Ele ainda tentou um pouco de imaginação e se pensou atravessando um espaço entre planetas e estrelas, onde, após a barreira sideral dos

grãos ferventes de luz, chegaria finalmente ao Globum, o planeta platinado, ou mesmo ao reino mágico de Silvium Sanct e seu sumo sacerdote Jô. Nada; a chuva aumentava lá fora.

Pensou num livro, mas não havia nada em casa; há muito tempo não lia mais. Então pegou na gaveta o velho binóculo do pai morto, correu até a janela, esquadrinhou os detritos de lixo que a chuva entulhava na rua e viu de novo o homem de terno, que finalmente se largara do poste e estava em pé no teto de um fusca.

Aí, ele teve um momento de calma e, enquanto examinava a cena com o binóculo, sua voz surgiu grave: "Mais uma vez as chuvas vêm castigar a cidade indefesa, mostrando o descaso dos prefeitos com as galerias pluviais"; e sua voz parecia a de Cid Moreira, que ele imitava tão bem.

Então seu binóculo correu para as janelas de um edifício em frente e enquadrou um casal que rolava num sofá colorido se beijando com ardor na boca, e ele, solitário, dublou, com voz empostada de Herbert Richers: "Srta. Williams, a senhorita pode apostar que seu corpinho ainda é o melhor aqui de Alabama..." e assoviou o tema de amor de *Summer of 42*, seu binóculo voltou rápido em *flash* para o homem que ainda gritava no Volks sob a chuva, e ele declarou, solene: "Plantão Cidade! Urgente! As vítimas da enchente continuam esquecidas pela defesa civil em total desamparo! É uma vergonha!!!"

E dali correu para a cozinha, já saltando, alegre, plim! plim! Sentiu-se num intervalo comercial, abriu vivamente a geladeira num corte colorido para os iogurtes variados na luz de publicidade e gritou: "Os novos Yofrutinhos vêm com polpa e tudo, como um pomarzinho em sua geladeira!"

E, de colher na boca, começou a sorver com delícia o Yofrute-ameixa e olhou para o chão alvíssimo da cozinha, onde um rápido risco marrom se escondeu sob o fogão, um outro risco fugiu em direção à área de serviço

e ele viu ali a possibilidade da aventura no mundo animal. Então, seu pé, visto do alto, ameaçador, distorcido, desceu como um tufão de Deus sobre a barata que se esgueirava no cantinho da área, e que foi logo alcançada por sua perícia de caçador.

Lá fora, soava uma sirene de ambulância e os gritos do náufrago da avenida, mas o intervalo comercial ainda não acabara e ele, de Yofrutinho na mão, colher na boca, continuou como um selvagem vingador a destroçar as baratas que se debatiam na luz branca do desespero, esmagando corpos, antenas e perninhas, enquanto berrava eufórico: "Minha senhora, não aceite imitações! Nada de DDT, vá direto aos bichos escrotos com Kafka Plus, o mata-baratas, agora em fórmula potente e destruidora!"

As baratas agonizavam e ele pulava como um cossaco de balé russo no ladrilho, dando patadas rutilantes em todas as direções. E berrava: "Plim! Plim!" E logo correu com arrojo de repórter até a janela com o binóculo na mão e pôde dar mais um *flash* de notícias, comunicando à população que "o Plantão Cidade verifica que as águas começaram a baixar na avenida, deixando contudo uma dura tarefa para os garis amanhã". E finalmente ele pôde cair no sofá-cama de olhos fechados e dormir, com a moça da meteorologia deitada sobre ele, murmurando: "Tempo bom em todo o país, meu amor." Era feliz.

Maldita seja a Companhia Telefônica do Rio

A vida tem muitos mistérios. Belo lugar-comum, só comparável ao "viver é muito perigoso" de Guimarães Rosa. Pois tem muitos mistérios mesmo, principalmente a vida de um pobre homem de país atrasado. Por exemplo, por que a garrafa grande de água Lindóia tem uma tampinha de plástico que não abre nunca? Já tirei sangue da unha tentando abri-las. Pior: apertando a garrafa, para poder girar a tampa, ela explode como bomba gelada em nossa barriga. Por quê? Além da paralisia do Congresso, sofro com as humilhações do consumidor.

Por que o fio dental brasileiro Johnson's esgarça nos dentes? Na América, não. Por que as Gillettes brasileiras cortam menos que as americanas? Tantos martírios atormentam a vida de um urbanóide menor como eu. Por que as canetas Bic vazam no bolso, deixando uma mancha eterna? E, supremo mistério de um carioca, por que os telefones do Rio nunca funcionaram?

Eu sou do tempo em que os telefones eram pretos e as geladeiras brancas, como dizia o Rubem Braga. Pois, desde esse tempo, o mistério

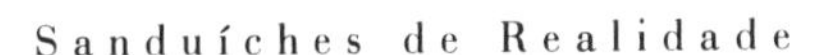

existe. Por que os telefones funcionam em Londrina, em Porto Alegre, e no Rio, não? Você liga para o Amapá para falar com o Sarney de Tóquio numa boa, mas quero ver você falar de Copacabana com Botafogo, às 5h da tarde. Que será isto? De onde vem esta vocação que o Rio tem para o erro?

Eu sou do tempo do "trote", quando o sujeito gastava uma preciosa linha para perguntar ao outro: "Por favor, penico de barro dá ferrugem?" Era o trote. Pois, hoje, temos a novidade dos trotes espontâneos, quando telefonar virou uma aventura cheia de imprevistos.

As linhas do Rio têm um comportamento humano neurótico. Elas não têm o mecanicismo confiável das paulistas ou paranaenses. No Rio, as linhas trabalham pelo que eu chamarei de "impregnação progressiva". São mulheres difíceis. Nunca dão de primeira. São linhas "coquetes", linhas histéricas. Você liga, não completa. Aí, você começa a sofrer. Seu afeto ou ódio são essenciais na hora da ligação. Você não pode considerar aquilo apenas uma máquina. Surge todo um relacionamento, jeitinhos, maus-tratos. Há telefones sádicos e outros masoquistas. Uns gostam de bater, outros gostam de ser espancados. A maioria no Rio é dos "sádicos", insensíveis à nossa ansiedade. E há um mistério que talvez a Telerj (este templo de perdição) possa decifrar: por que só se faz a ligação na terceira tentativa? Por que três vezes, sempre? É a tal da "impregnação". É como um espermatozóide fecundando um óvulo, como uma idéia se formando na central do sistema nervoso. Mas, se a ligação se completa, ó admirável estrangeiro!, isto não quer dizer que atingirás o contato com o seu amigo, seu amante ou seu *miché*. Provavelmente, será engano. É normal. Comunicação sem barreiras de classe ou raça. Você pode ligar para sua mãe e atender um crioulo no botequim de Bonsucesso. Por que não? Linhas democráticas.

Existe toda uma sabedoria (que os cariocas amealham no curso dos anos) no lidar com os aparelhos, que só se sofisticam por fora (ah,

saudades dos telefones negros de ebonite...). As campainhas eletrônicas (ah... saudades do triiim, triiim), memórias, *feedbacks*, tudo fracassa diante da barreira do erro carioca.

Existe também a ciência dos barulhinhos. Por exemplo, há um indescritível ruído que mostra uma tendência "positiva" para a ligação. É um prenúncio de que o sinal virá, ou, se já tiver vindo, que a ligação se fará. Há barulhinhos de todo tipo. Há os barulhinhos "punitivos", quando o assinante peca por excesso de otimismo. São roncos súbitos e pavorosos que podem te furar o tímpano. São lembretes de que estás no subpaís.

Há silêncios de treva quando tua aflição é urgente, há barulhinhos que denotam esperança, mas que tendem a se esfarinhar em nada. Quando a ligação se completa, há tilintares diferentes de campainha. Existem os bonitos, mas falsos, que ninguém atende nunca. Existem os gagos, que se interrompem sem motivo. Eu, veterano de guerra, sei dizer, na minha competência, até quando vai dar "engano", ou "ocupado". Em geral, começa com um tilintar eufórico, nítido, que parece ignorar a precariedade da existência humana, logo corrigido pela sábia lição de uma frustração. Eu, do alto do meu saber, detecto tilintares que já prenunciam se há alguém em casa ou não. Mas isto é só para grandes especialistas.

Há a súbita interrupção da linha, em geral no clímax, no pino de uma conversa que vai dar certo: "Sim, claro, meu anjo... então... diz que me ama ainda!..." Negro silêncio, seguido do barulhinho triunfante. Ou: "Claro doutor... podemos fechar negócio... meu preço é..." Espaço sideral, buraco negro.

E há o maravilhoso universo da linha cruzada. Oh, Deus, se alguém fizesse a sociologia da conversa de anônimos, ó que rosto do Rio de Janeiro daria para contemplar pelo negro fone. Na linha cruzada, nunca se flagra o grande crime, nem o grande negócio, nem o grande adultério. No Rio,

a linha cruzada dá o rosto derrubado da cidade com dois traços fundamentais: a lamentação e o rancor. Quase todas as linhas que eu (*écouteur* contumaz) peguei narravam a angústia de alguém que clamava por justiça ou por amor. Era a desquitada sem pensão, a viúva sem afeto, mães aflitas, pequenos serviçais injustiçados, aposentados sem rumo, viados sem carinho, tudo numa rede sinistra de solidão e desencontros.

Pela tristeza das linhas cruzadas, vemos a decadência do Rio, as encostas destruídas das almas, as vítimas de uma miséria existencial não suspeitada que se encolhe nas *kitchenettes*, barracos e botecos.

A Telerj me lembra o além-túmulo. Eu sou parte deste universo escuro de gente gritando "Alô? Alô", todos desesperadamente tentando alcançar algum sentido para suas vidas. Passamos a vida tentando uma felicidade, um contato imediato, e nada. A Telerj é nossa morte. A Telerj é a afasia do Rio. A Telerj é nosso fracasso como cidade. Abaixo a Telerj, maldita seja a Telerj e seu cortejo de anjos decaídos e incompetentes, abaixo sua teia imunda de erros. Maldita sejas tu, companhia telefônica de bosta, com teus dutos e fios mergulhados nos esgotos da cidade. Que Deus te destrua, já que os homens te toleram.

O Bem e o Mal Vacilam entre Rio e SP

Pressionado por cariocas e paulistas, acabei fazendo a eterna lista chata sobre as duas grandes cidades.

Vários chatos na ponte aérea já me disseram: "Por que você não escreve sobre Rio e São Paulo?" Nunca escrevi, porque este tema é a pior forma de fim de noite, quando todas as piadas já acabaram. Pior que "homem e mulher", pior que "Picasso ou Bracque", pior que "Beatles ou Rolling Stones". Mas, atendendo a pedidos (já que é fim de ano), resolvi aceitar o tema. Vamos a isto.

"A pior forma de solidão é a companhia de um paulista." (Nélson Rodrigues)

"A pior forma de ilusão é a simpatia de um carioca." (eu)

Em São Paulo, se você bobear, vira escravo. No Rio, se bobear, vira vagabundo.

O carioca está deprimido e não sabe. O paulista é maníaco e não sabe.

Em São Paulo, os milionários trabalham. No Rio, moram em Paris.

Em São Paulo, o contrário do burguês é o proletário. No Rio, o contrário do burguês é o boêmio.

Carioca acredita no espírito carioca. Paulista acredita na matéria.

São Paulo é Carandiru. Rio é Vigário Geral.

No Rio, só os criminosos são práticos e organizados, como os paulistas.

Em São Paulo, o criminoso ainda está fora do processo produtivo.

Em São Paulo, o crime é *free lance*. No Rio, o crime é empresa. Ou seja, no Rio, o crime é paulista. Em São Paulo, o crime é carioca.

São Paulo é um filme americano. O Rio é um filme brasileiro.

O Rio é ficção. São Paulo é documentário.

A miséria no Rio é dentro. Em São Paulo, é fora.

No Rio, a miséria é no alto. Em São Paulo, é embaixo.

Em São Paulo, há menos miséria; mas a miséria é mais miserável. No Rio, a miséria já deu samba. Em São Paulo, miséria não dança.

O "*cash flow*" dos mendigos é melhor em São Paulo. Mas no Rio ele se sente em casa.

Se eu fosse miserável, preferiria morar no Rio.

O Rio é Matisse e Munch (no mesmo quadro). São Paulo é Marcel Duchamp.

No Rio, os motéis estão por toda a parte. Em São Paulo, os motéis são na Via Dutra.

No Rio, sexo é prazer. Em São Paulo, é pecado.

Todo paulista tem amante. Todo carioca come alguém.

No Rio, as putinhas têm prazer. Em São Paulo, são frias.

No Rio, há café *society*. Em São Paulo, Café Photo.

Na Ipiranga com a São João, São Paulo foi redescoberta por um baiano.

Antes de Caetano, São Paulo não sabia que existia. São Paulo tinha complexo. Agora, o Rio tem inveja.

No Rio, as mulheres são mais sensuais. Em São Paulo, são mais sacanas.

No Rio, há nudez, com menos desejo. Em São Paulo, muita roupa, com mais tesão.

No Rio, as mulheres são cínicas. Em São Paulo, são românticas.

O Rio é histérico. São Paulo é obsessiva.

Paulista é mais sério que carioca. Por isso, pode até acabar com você.

Em São Paulo, filho da puta é filho da puta. No Rio, como saber?

Paulista odeia críticas. Carioca odeia autocríticas.

O Rio é a "dialética da malandragem". São Paulo é Antônio Candido.

O Rio é vagabundo. São Paulo é lúmpen.

O Rio é Oswald de Andrade. São Paulo é Mario de Andrade.

São Paulo é PT. O Rio é PMDB. Mas o Rio é socialista. São Paulo, neoliberal.

O Rio é associativo. São Paulo, seqüencial.

O Rio é eu. São Paulo, "os outros".

O Rio é católico. São Paulo, protestante.

O Rio é esquizofrênico. São Paulo, paranóico.

O Rio se acha superior ao resto do Brasil. São Paulo é superior.

No Rio, há contos do vigário. Em São Paulo, bons negócios.

No Rio, são todos amigos. Em São Paulo, todos são puxa-sacos.

O carioca se ilude com a paisagem. Paulista se ilude com a avenida Paulista.

Paulista gosta de carioca. Carioca não gosta de paulista.

Carioca não te convida para jantar. Paulista convida, para te jantar.

Carioca pensa que ainda é criativo, mas está apenas mal-informado.

Todo o poder está em São Paulo. No Rio, todo o poder está na Globo.

No Rio, estamos diante de uma saudade. Em São Paulo, tudo é fato consumado.

Carioca pensa que sabe gozar a vida. Paulista aumenta a produtividade.

O Rio é um feriado. São Paulo é uma segunda-feira.

No Rio, todos são funcionários públicos, aposentados ou psicólogos. Em São Paulo, todos são publicitários, gerentes de marketing ou psiquiatras.

O Rio é insolúvel. Em São Paulo, o insolúvel é mais organizado.

SP é Prozac. Rio é maconha.

O Rio é viado. São Paulo é *drag queen*.

No Rio, só tem otário. Em São Paulo, só tem malandro.

O Militante Imaginário não Quer Comer um Bom Filé

Eu já fui um "militante imaginário". O que é um "militante imaginário"? O militante imaginário ou "MI" é encontrado em universidades, igrejas, conventos, jornais, bares. Ele é uma invenção portuguesa, não da piada, mas da colônia.

O militante imaginário é o bacharel da revolução. Ele estava na Inconfidência Mineira, ele estava ali entre Claudio Manuel da Costa e Gonzaga, ele estava em muitos liberais abolicionistas.

O militante imaginário é um revolucionário que não faz nada pelo bem do povo. Ele se julga em ação, só que não se mexe. A revolução do imaginário é uma coisa vaga, uma alegoria de heroísmos, um futuro cantante, uma espécie de *happy end* político para a vida.

O militante imaginário (MI) é o revolucionário que não gosta de acordar cedo. É muito chato ir para a porta da fábrica panfletar. O MI não gosta de nenhuma revolução real. A revolução do militante imaginário é uma herança modernista que ficou, depois da beleza de Che Guevara, dos Panteras Negras, dos vietcongues.

Nós, no Brasil, ibéricos que somos, amantes do gesto puro e abstrato, das tiradas literárias, inventamos a "revolução cordial". Nada de helicópteros no rio Mekong, nada de porrada nos "guetos", nada de florestas cubanas, nada de tiros nas ruas de São Paulo.

Isso não quer dizer que os MIs sejam covardes. Não. É que eles gostam de trabalhar no teórico. A realidade atrapalha, com suas vielas, esgotos e becos sem saída. "A realidade é chata, mas, apesar de tudo, ainda é o único lugar onde se pode comer um bom filé" (Woody Allen). O militante imaginário não quer comer um bom filé.

O militante imaginário é uma variante do "patrulheiro ideológico", invenção do Carlos Diegues. Só que o patrulheiro vigia a liberdade dos outros. O militante imaginário só pensa em si. Para ele, todos somos burgueses, reacionários. Mas ele não nos denuncia como o "patrulheiro". Ele nem nos dá a esmola de uma crítica.

O militante imaginário vive em lua-de-mel consigo mesmo. Porque ele é a verdade de um tempo, mesmo que ele anuncie suas dúvidas teóricas com a certeza dos profetas. Ele é uma espécie de herói masoquista, ele tem o charme invencível do derrotado que não desiste.

O militante imaginário é auto-suficiente, ele é o povo de si mesmo. É mais um herói existencial. Quanto mais erro houver, mais comprovação de seu sucesso; quanto mais derrota, mais brilha sua solidão.

Para ele, a "práxis" é chata. A vitória é fracasso, e o fracasso, vitória. O revolucionário imaginário agüenta qualquer coisa, menos o próprio sucesso. A vitória seria o fim do sonho e o início de um inferno administrativo.

O militante imaginário detesta contas, safras de grãos, estatísticas, tudo que interessa à direita concreta. Por isso, ela ganha sempre.

Para o MI, o crime terrível de FHC foi ter se metido no mundo real. Jamais será perdoado pela USP. O MI, seja ele artista, filósofo ou apenas essa coisa difusa chamada "homem de bem", odeia qualquer descida ao mundo da verdade, pois isso pode ser fatal para a integridade de seus ideais.

O corpo do militante imaginário segrega um santo óleo que o protege contra o mundo. E a política vira uma "estética da personalidade".

O militante imaginário tem uma espécie de saudade. Saudade de um mundo que já foi bom. Só que ninguém sabe dizer quando o mundo foi bom.

Quando o mundo foi bom? Durante a guerra de 14, no stalinismo, nos anos 40, quando? O MI tem saudade de um tempo quando se achava que o mundo "poderia" ser bom; é a saudade de uma saudade.

Hoje uma práxis política tem de ser de "erro e tentativa". Uma luta humilde, parcial, ridícula, errando e voltando atrás, sem recompensas metafísicas, uma luta pela melhoria da vida social. Uma práxis experimental, uma razão buscada nas coisas, um iluminismo de resultados.

Mas isso o MI não quer. Ele quer é o absoluto. Ele acha que a vida é teoria. O MI acha que o socialismo não rolou porque foi mal interpretado pela *nomenklatura*, foi um deslize teórico. Se tivessem lido Lukacs direito... O MI odeia meios; só gosta de fins. Os meios são chatos, dão trabalho.

Ultimamente, o militante imaginário anda mal. Todas as evidências de suas ilusões estão caindo. Aí, o MI produz mais fé. Quanto mais fracasso, mais fé. O MI acha que os homens se dividem em esquerda e direita. Ele não sabe que, em buracos mais embaixo, há outras categorias que determinam essas: esquizofrênicos e paranóicos, positivos e negativos, autoritários e democratas, formalistas e conteudistas.

O militante imaginário não tem o fel do "chapa-negra", nem o rancor do patrulheiro. Ele é, em geral, romântico, acha que desejar o bem do povo basta, mesmo que o "povo" nem saiba disso. E vive seu sonho, torcendo pelo bem, como se torce pelo Flamengo. No fundo, o MI é um homem bom. Mas atrapalha...

Surge no Rio um Pênis Autoritário

Estou diante da coluna pós-moderna que fizeram em Ipanema: "Por quê?" Por que construir um obelisco de plástico com uma lâmpada em cima, um obelisco amparado por uma passarela que vai unir nada a nada, no centro do querido Bar 20, onde outrora os bondes davam a volta?

Por que essa estaca no coração do Rio?

Moradores de Londrina, Porto Alegre, São Paulo, vocês não têm idéia do que é o "pirocão" que a Prefeitura levantou.

Ali irão se espatifar ônibus e táxis, pois o "pirocão" é bem no meio da rua. E eu pensei: "Como ousam fazer esse pau-de-sebo autoritário? Será que ninguém vai fazer nada?

"Será que os moradores dos prédios em volta não vão processar a Prefeitura? Será que esse monumento ao 'nada' vai ser o símbolo da passividade civil dos cariocas?"

Tudo isso eu pensei, diante do "pirocão". É verdade que eu já estava me acostumando à feiúra da reurbanização do Rio.

De ombros murchos, eu vergava de impotência, mas já aceitava até os "postes bêbedos" das ruas de Ipanema. (Leitor de fora: Cesar Maia e seu arquiteto Paulo Casé criaram postes tortos em Ipanema que parecem cair sobre a rua.)

Já gostava dos postes dos cruzamentos, que tombam para trás, formando uma floração de tremores; os postes verdes desmaiando nas esquinas e os postes bêbedos vomitando para a frente.

Eu racionalizava: "Esse Casé é um pândego. Resolveu imortalizar os bêbedos do Antonio's, onde tomamos tantos porres."

Pensei em tantos que já se foram, ouvi as gargalhadas de Estelita, de Hugo Bidê, de Guerreirinho, do Marat, pensei no inefável Roniquito, lembrei-me de mim mesmo, vomitando nas esquinas do amor e do medo. E meus mortos flutuavam entre os postes líricos.

Mas, aí, eu vi o "pirocão"! Deparei com aquela coluna de Trajano pálida e inútil. Era demais! Mas ainda tentei ser bom e pensei: "Deve haver uma razão para este cacete de plástico. Maia e Casé devem ter algo em mente, para o aperfeiçoamento da consciência popular..."

Primeiro, achei que Cesar quis estimular ou homenagear a pulsão sexual do carioca. Aquilo talvez fosse um monumento ao "bofe desconhecido", uma estátua ao Ricardão ou ao famoso Perneta, conhecido como "Jegue do Posto 9". Ou ao grande Nicanor, também celebrado como o "Tripé da Montenegro". E fiz a piada: "Já que não tinham dinheiro para botar um Picasso, puseram um Picaço."

Mas, não. Nem Cesar nem Casé fariam obra tão chula. O sentido é outro. A finalidade do "pirocão" seria estética mesmo.

Vejamos. Como seria um absurdo colocar no meio da rua até mesmo um Calder, a finalidade do "pirocão" talvez fosse um manifesto transgressivo: diante do "nada" pós-moderno, seria uma autocrítica de fim de milênio, um monumento à falta de talento.

Como se o "pirocão" dissesse: "Vejam, a arte morreu; belo é tudo o que eu não sou! Pensem nas colunas gregas, pensem nas acrópoles, pensem em Veneza!"

Seria uma homenagem paródica à beleza, por exclusão: "Não me olhem, amem o belo!" Assim, olhando o Picaço, lembraríamos de Bernini, Brunelleschi, Fidias...

Depois, armei outra hipótese: a coluna de Cesar e Casé teria a mesma função dos monumentos ao deus Priapo na Antiguidade. Imensas pirocas floresceram antes de Cristo. Pediam fertilidade, chuvas, ânimo. O grande obelisco priápico estimularia o Rio à luta, ao amor, à construção.

Talvez os bons Cesar e Casé estivessem pensando na tradicional brochura social carioca e levantassem o "pirocão" para nos estimular a criar, crescer, subir, com "a seixa do porvir"!

Minha cabeça não parava e achei uma explicação política. Claro! Um obelisco no meio da Visconde de Pirajá talvez fosse um símbolo das "idéias fora do lugar" da cultura brasileira, um despropósito que nos levasse a refletir sobre nossa dependência estética colonial, escravos que somos de qualquer coisa que se faça em Milão ou Nova York.

O Picaço seria um monumento antiimperialista!

Na mesma hora, pensei em Brecht, no efeito V (*Verfremdung*), o efeito de "estranhar as aparências".

O Picaço provocaria no povo o efeito de "estranhamento", dando-nos a consciência das contradições sociais da cidade.

Mas, logo depois, achei ridículo querer aumentar a "estranheza" do Rio, cidade do delírio.

Pensei ainda na piada carioca, uma estátua ao nosso humor: uma "caralheta", um "passaralho" talvez... Pensei em tantas coisas... Mas nada me convencia.

Até que fui tomar um café no botequim ali do Bar 20, pensando nos bondes. Um crioulinho de porre gritou, então, apontando o obelisco: "Alguém ali tem pau pequeno!..."

Claro! Ali estava a resposta. O problema era sexual! Olhando melhor o largo, vi que os dois anteparos da "passarela do nada" eram como testículos suportando o grande pênis encimado por uma lâmpada.

Só espero que façam uma ação popular contra o obelisco. Ou que o próximo prefeito castre o pau de Cesar no dia da posse, sob os aplausos da multidão. Cariocas, uni-vos!

Demi Moore e Sharon Stone Fingem nos Amar

Fui ver o Striptease *com a Demi Moore e saí no meio. Filme horroroso. Mas saí pensando em* Frineia, a Cortesã do Oriente, *o primeiro filme de sacanagem que vi em minha vida, cujo momento culminante era quando a atriz, em pleno tribunal romano, deixava cair o manto e víamos sua espantosa nudez.*

Como eram belas as atrizes francesas dos anos 50 e seus corpos nus! Ali estava meu destino de fogo e água; eu sabia que alguma coisa de terrível me aconteceria por causa daqueles corpos macios, a mim, virgem com 15 anos.

O cinema era o Alaska, em Copacabana, onde íamos nos entrincheirar com as meninas ou para um amasso desesperante que nunca, nunca dava em nada, a não ser numa terrível dor nos rins (ah... o pânico das virgens invencíveis dos anos 50...), ou então para a humilhante solidão das punhetas, diante das rumbeiras como Maria Antonieta Pons.

Ontem, larguei a Demi Moore no meio. E saí pensando que existe sacanagem brasileira e sacanagem americana.

Para o americano, o maior pecado não está no sexo. O pecado está na ofensa a Deus. *Goddamn* é pior que *fuck*, por exemplo, quase moeda corrente.

Sexo para brasileiro precisa do pecado para existir. Sexo americano não precisa. Ele é mais uma quebra no ritmo do trabalho. Sexo para colonizados de Portugal é uma ofensa a Cristo. Na América, é ofensa à produção. Sacanagem brasileira leva ao inferno. Sacanagem americana atrapalha o progresso. Por isso, os americanos inventaram o sexo industrial, a sacanagem competente.

Demi Moore parece uma máquina, uma "Schwarzenegger fêmea". Sua sensualidade tem a rapidez dos efeitos especiais. O sexo que Demi Moore nos vende é um luxo de civilização, um avanço tecnológico. Ali não há o elogio da delícia ou da poética do prazer, como na Europa ou no Oriente. Fala-se do funcionamento dos corpos como se fala de uma BMW.

Uma mulher tem mil cilindradas ou é um "avião". A qualidade das transas é medida pelo bom acoplamento das "interfaces", pelo encaixe perfeito das peças de precisão. Uma vagina tipo B encaixa em pênis A que gira em engrenagens de orgasmos múltiplos. São mecanismos, órgãos sem corpos.

Sexo já foi uma luta revolucionária, nos anos 60. Uma transgressão contra a repressão da burguesia. Hoje, é uma exigência de mercado. Se não fosse a pausa da Aids, ia se vender orgasmo em butiques. A sacanagem modernista era política, uma metáfora do "devir", uma aventura da revolução permanente. Hoje é um produto em competição. Todo ano, surge um novo modelo. A proibição portuguesa que sempre nos animou cede à pressão americana da liberdade simulada.

A liberdade de mercado nos levou a um "mercado da liberdade". Tudo tem de ser brutalmente visível, na luz forte dos *supermarkets*, para que não haja nada sombrio, nada ausente, nada pessoal. O oculto é o lugar da intimidade. Assim era o romantismo modernista. Já o inferno é o lugar da visibilidade total.

Quem diria que nossa prisão seria um campo sem grades? A verdadeira proibição é a ausência de proibições, ou melhor, a proibição de ausências. Acabou o segredo, que era essencial para o prazer. O prazer era clandestino. Sexo era um pecado sombrio.

Os moços se esvaíam em orgasmos literários, dramáticos. Havia enredo, personagens, e o clímax era atingido no *grand finale*. Não havia ainda o sexo audiovisual. Punheta era literatura. Hoje é videoclipe. Eu tinha um amigo que se masturbava com as fotos do livro de medicina legal do pai juiz. O sexo era nossa fome de crime. Hoje, somos masturbados pelas imagens da indústria gráfica.

O filme de Demi Moore e os vídeos de sacanagem mostram que existe a "teoria da dependência" até no sexo. A globalização e a exclusão aparecem até nos filmes pornográficos. Há muitas diferenças.

Os filmes americanos de sacanagem falam de uma sociedade abundante de atletas sexuais. Para além das camas, pressente-se um mundo de anabolizantes, o ruído de academias de malhação.

No filme de sacanagem brasileiro, vemos atrizes mal pagas e com celulite.

No filme pornô americano, louva-se o progresso social.

No pornô brasileiro, pressente-se o atraso. O sexo no pornô americano é um luxo aerodinâmico.

O pornô brasileiro é uma carência alimentar. Nesse sentido, o pornô americano é épico e existencial.

O pornô brasileiro é realista e político. O pornô americano é urbano. O pornô brasileiro é rural.

Eu vi um em que estupravam uma galinha. O filme se chamava *A Galinha do Rabo de Ouro*, com a esforçada Fernanda Glauber, filme muito inferior, contudo, a *Splendor in the Ass*, com a grande Tori Welles.

As atrizes de lá são deusas perversas e ativas. As nossas pornô-atrizes são pobres empregadas obedientes.

Há um orgulho nas atrizes americanas. Aqui, há necessidade. Os atores americanos trabalham por um prazer perverso.

Os atores pornôs brasileiros, por um prato de comida.

O pornô americano é a louvação do progresso. O nosso é a estética da fome.

Demi Moore finge ser erótica. Seu tesão é um simulacro, como em Madonna. Tudo é falso, como nos filmes de violência. Assim como há violência nos filmes de sexo, há a doença sexual nos filmes de ação e morte. O furador de gelo de Sharon Stone rima com as metralhadoras fálicas de Stallone. Os orgasmos e as mortes são efeitos especiais. Sharon e Moore são programadas, são clônicas. Elas apenas fingem nos amar, mas não nos dão nada. Nenhuma delas quer ser uma maravilhosa heroína da liberdade.

Elas são frias e comerciais.

Nenhuma delas morrerá apaixonada por nós, como fez Marilyn Monroe.

A Bolha Maldita contra o Monstro do Mesmo

Como pensar sem esperança? É o que me ocorre ao ler o diálogo entre os intelectuais Régis Debray e Jean Ziegler, em livrinho editado pela Paz e Terra. Precioso.

Debray, rapaziada do pós-tudo, foi "o Jovem!". Em 69, supremo luxo, largou a família rica de Paris e Sorbonne e foi lutar ao lado de Che Guevara no mato da América Latina. O máximo, um brilho da minha geração. Tudo que eu queria era ser ele. Fino e macho, um René Descartes com metralhadora.

Quando criticavam a luta armada, eu dizia: "Tu é o Debray?" "Não..." "Então, cala a boca!" Foi em cana, voltou para a França, virou filósofo: a *Crítica da Razão Política*.

O outro, Jean Ziegler, é suíço, também fascinado pelo "Terceiro Mundo" (oh, nome saudoso...), esteve no Brasil, andou em candomblés. Dá aulas de alto marxismo em Genebra e ficou famoso com o livro-denúncia contra o paraíso fiscal de seu país: *A Suíça Lava Mais Branco*.

São o máximo do "intelô" europeu, ambos com prática concreta; matam as cobras e mostram os paus.

O diálogo dos dois é maravilhoso. Clareia os dois tipos pensantes atuais e seu estado mental, nos anos 90. Um é cético, o outro, esperançoso. Um perdeu a fé (Debray), o outro não larga o osso (Ziegler).

"Para que servimos? Para nada!", dizem eles, com dois sabores de amargura; um com gosto de mártir, outro com riso de cínico.

E em volta de seu diálogo estende-se o pânico de um mundo, que nem sabe que eles existem, que nem sabe que eles sofrem em busca de um sentido.

O intelectual perdeu o rumo, no sentido originário da palavra "intelectual": sujeito que tenta influir no mundo através de idéias.

Este tipo de pensador militante surgiu no fim do século 19, quando Émile Zola escreveu o célebre artigo de jornal "Eu Acuso", denunciando o anti-semitismo injusto contra o capitão Dreyfus.

Nasceu aí uma espécie de filho do cientista com o político. O século 20 foi o paraíso do "intelectual", mas agora a barra parece estar pesando.

Este intelectual (marxista, social-democrata, etc.) planejava um futuro, dizia um rumo. E tinha provas para sua fé no futuro, tinha o socialismo rolando, tinha opções para a barbárie, tinha um lugar social.

Lênin era um intelectual. Fidel, Mao, todos eram. Até Stalin escreveu um tratado sobre o materialismo. O intelectual era nosso guia, nossa esperança de cretinos, e agora o tratam como se não tivesse existido.

Ainda há empregos para técnicos informatizados, mas, para aquele que erguia a fronte em luta pela justiça, pálido, com dedo em riste, nada. O intelectual não era ainda esta curiosidade pública que virou, se esgueirando pelos cantos, apontado pelos burros.

Na América Latina, então, era um sucesso. Aqui, onde o Estado nasceu forte, numa sociedade fraca, o intelectual era uma ponte entre o poder e o povo. Era uma espécie de sociedade civil substituta.

Tivemos gente como Rui Barbosa, Domingos Sarmiento na Argentina, José Martí em Cuba, que criaram estruturas educacionais, exércitos, legislação, identidade de países. Eles nos tranqüilizavam: "O presente é ruim, mas é ritual de passagem para um futuro harmônico."

Cai a URSS, cai a idéia de futuro justo e o intelectual se vê de mãos abanando.

Hoje, temos dois tipos principais: os esperançosos e os desbundados. Xingam-se aos berros de "reacionários" ou de "ingênuos". PT x PSDB. Feio de ver.

Eu entendo; é terrível não ter certezas.

Acho que é por isso que os comunas lutaram pela "esperança" até o fim; fingiram não ver a Hungria, Praga, a Gangue dos Quatro. Pensavam: "É terrível, mas são contingências da dialética; o futuro é bom."

Outra descoberta trágica foi saber que há duas histórias se movendo: a história técnica (ninguém vai largar o trator pelo arado, o avião pelo balão) e a história política, onde o negócio é outro.

Podemos lindamente voltar a fascismos pavorosos, crueldades sem nome, religiões primitivas. Vejam o mundo fundamentalista, tribalista, que se desenha.

Não estamos vacinados contra o fanatismo. Os homens morrem e renascem sem memória. Só há memória na técnica. A ética é lenta e reversível.

Como diz Debray, "há uma falsa globalização, sem trocas nem reciprocidade. O espaço 'planetário' é falso. O espaço é norte-americano. O que está sendo globalizado é o modo de pensar norte-americano."

E, pior, isso não está sendo "planejado" em segredo pela CIA ou pelo Pentágono, como achávamos. Isso está sendo feito pelas Coisas, pelas Mercadorias e sua razão opaca.

A invasão das salsichas gigantes, a coisa, a "bolha maldita".

A razão mercantil não tem coração, nem sabe que existe. É feito aquele "Alien" do filme, monstro devorador sem rumo. É um imperialismo das coisas. Assim como a informatização está criando um desemprego crescente, as mercadorias estão aposentando o pensamento, pois elas não se dobram mais a ele (dobraram-se algum dia?).

Pode haver uma ensinança de humildade aí?

Sim; o mercado atenua o ideal ingênuo de totalidade. O "chuchu" pode ser mais importante que a dialética. Só que descobrir isso não resolve. A "Bolha" continua comendo tudo.

Não há a quem atacar. As coisas não são inimigos declarados. Elas agem pela lógica mercantil em vez da lógica filosófica. A razão virou um luxo francês, como o *ris-de-veau*. O capitalismo não quer nem saber dos adjetivos novos que lhe emprestaram.

E o intelectual sofre. Se os intelectuais forem pagos para produzir bens simbólicos, hoje isso é feito pela mídia e pelos evangélicos.

E aí Ziegler nos anuncia um terrível destino: até a antiga ordem imperialista do mundo desapareceu. Essa ordem estava fundada na exploração da mão-de-obra e na busca das riquezas naturais da periferia pelas nações do Centro. Até isso acabou.

A revolução eletrônica, a substituição de matérias-primas por sintéticas, a racionalização da produção estão fazendo com que eles até percam qualquer interesse em nós, do Terceiro Mundo.

Estamos na carência máxima: não temos mais nem a esperança louca dos explorados. Seremos esquecidos. Um *apartheid* mundial está sendo construído. O imperialismo era exploração; o globalismo é exclusão.

Debray e Ziegler declaram que o intelectual não serve mais para nada. Nosso caso é mais estranho: o Brasil é tão original que até temos um intelectual no poder.

As Favelas do Rio são Países Estrangeiros

Todos os planos contra a violência e a miséria na cidade estão viciados por uma ideologia de exclusão.

Moro em São Paulo, mas hoje estou no Rio. Será que eu via isso quando morava aqui, ou era corrompido pela paisagem maravilhosa, como o são tantos amigos que ocultam sua depressão na praia? Copacabana nos engana, a paisagem corrompe.

Em São Paulo, há mais verdade na sordidez da tragédia. São Paulo é mais cruel e mais sincera. A favela de lá é uma implacável casa de ratos. Lá, temos a visão do problema. No Rio, sentimos a impossibilidade da solução. Lá, algum desastre pode acontecer.

Aqui, já aconteceu.

Vejo-me aos nove anos no carro de meu pai, passando em frente à favela de Mangueira, olhando pela janela do Mercury grená, pensando: "Quando vão consertar estes barracos pobres?"

Ninguém consertou nada. Dizem que mesmo D. Zica não sobe mais o morro, agora dominado por gangues anônimas (os bandidos não são mais filhos do lugar), bandos de transfavelados que ocupam os "buracos quentes". Onde estará Zé da Ilha, que passava navalha nos pingentes dos bondes?

Um aleijado crioulo fala para o camelô: "É isso aí, mermão, em briga de saci não tem pernada..." Sorrio com este resíduo da boa malandragem. Onde está o carioca? Onde está o malandro que brilhava de arrogância, onde está o cafajeste lírico, as gargalhadas de botequim?

Sobrou apenas uma nobreza humilhada, um carioca querendo se reerguer em movimentos espasmódicos de cadernos B, em "salve-Rios", em campanhas de cerveja e entusiasmos de marketing.

Será que só restou o lado melancólico do homenzinho litorâneo da ex-capital, o funcionário do vice-reinado? Nas ruas do Rio, todos parecem mal pagos. Nas ruas, rostos tristes ou apáticos. Há uma decepção no ar que o sol do Arpoador tenta dissolver. Há uma decepção com nosso destino que se prometia tão belo nos anos de ouro.

Leila Diniz não mora mais aqui. Me lembro quando o Carnaval se aproximava; o verão parecia um balão azul coberto de *flamboyants* e cigarras. Tom Jobim me disse uma vez: "O Brasil será feliz quando todos morarem em Ipanema." Pois o Brasil não virou Ipanema; Ipanema é que virou Brasil. Um perigo ronda o país: ficar igual ao Rio.

No Rio, estão resumidos em maquete todos os conflitos nacionais. Por que este ódio à cidade, desde a loucura de Brasília? Por que extinguiram o Estado da Guanabara? Por que este furor contra a beleza? Por que a usina em Angra?

Hoje temos uma população de pardos pobres e brancos apavorados (o mulato virou uma mescla encardida de tristezas). Das favelas descem milhares de pardos. Da Baixada eles vêm para seu sonho dourado, Ipanema, onde a burguesia já reinou. Ipanema é a Europa dos excluídos.

E o que incomoda a população branquinha não é tanto o assaltante; é o passeante. Pardos passeantes de chinelos e calção enchem a Zona Sul.

Eles pressentem o medo dos "classe-médias" e desfilam com garbo. O carioca branco se indigna, como se só ele fosse nativo.

E aí começou a primeira fase da consciência: a fase do escândalo. O Rio virou o escândalo dos cariocas. Mas o horror de nada serve; é só angústia vazia. A miséria dos outros tem sido para nós um problema existencial. O "escândalo" parte do equívoco de que os miseráveis são um "erro" da natureza. O erro está em nós. Escandalizar-se é se salvar. Mas somos parte do escândalo.

Somos um escândalo em nossa passividade temerosa, em nosso egoísmo de desocupados, comprando jornal de pijama ou na fila do banco eletrônico, olhando mendigos com medo na porta da igreja.

E tem mais. Se alguma vitalidade se vê ainda no Rio, é justamente nos surfistas de trem, nos violentos mulatos folgados, nos bailes *funk*, nas porradas de camelôs. Nas vítimas em que nos convertemos, só há nostalgia. "Ahhh, saudades do chopinho dourado... ahhh... andar pela praia até o Leblon..." Só nos restou o "ahhh" ou então a vingança. Saímos da nostalgia para a metralha.

O espantoso é que não se criou um só plano real de salvação de favelas. Ninguém vai tentar um plano imaginoso para o enigma social? Utopia é mole. Fazer Brasília limpa na página branca é fácil. Quero ver é redesenhar o sujo.

Há 30 anos era fácil. Havia dinheiro e menos gente. Agora, só dá para fazer um plano de salvação social para o Rio a partir da aceitação da idéia do "insolúvel". Até hoje, só houve soluções "brancas" para problemas "pardos".

Não há solução. A partir daí, pode-se começar a pensar. A favela só se resolve com uma auto-análise dos "brancos". Todos os planos embutem a idéia de que eles são um "erro" em nosso mundo "certo". Nosso mundo não é certo. Somos vítimas e cúmplices. O problema está na solução. Sempre pensamos na favela do ponto de vista *clean* dos salvos.

Partimos de vários enganos: da idéia de limpar, passamos à idéia de consertar, vamos até a idéia de punir e desaguamos na vontade de exterminar. A idéia de limpeza leva à necessidade do extermínio. Um arquiteto me disse: "Só o genocídio resolve o Rio."

Vemos a sujeira dos miseráveis como se eles estivessem nos enfraquecendo. Não percebemos que eles são quase uma vanguarda política, nos fortalecendo com sua tragédia real. A loucura bruta dos meninos traficantes que escolhem o crime e a vida curta é uma metáfora de emergência que não vemos nos governantes: A nossa "emergência" é só reativa. A violência do Rio dói, mas desperta. A miséria é um elemento revitalizador da sentimentalidade branca.

A Realidade Virá em Nova Embalagem

O fotógrafo Oliviero Toscani usa a tragédia humana para vender camiseta da Benetton (Aids, massacres, racismo, etc.). Ele tem razão. É preciso revolucionar a publicidade brasileira.
Felicidade está out. *Aqui vão algumas idéias para que se venda muito e se faça um maravilhoso serviço social! Vendendo o quê? A "Ver-da-de"! — em nova embalagem, agora sabor tutti-frutti...*

Filme 30" — Cliente: Ração Dois Irmãos — Animação

Cachorrinho latindo feliz. Seu latido vira locução: "Todo mundo sabe que eu sou o melhor amigo do homem. Por isso eu prefiro 'Ração Dois Irmãos — *double flavor*'!"

Cachorrinho assobia: "João Ricardo, fiu, aqui!...". Dono vem latindo de quatro e se põe a comer na mesma tigela com o cãozinho.

Locução: "Miseráveis não precisam mais enganar. Chegou 'Dois Irmãos — *double flavor*', para seu cão e você. Sabor alcatra e *steak au poivre.*"

Outdoor — Cliente: Banco Goldstein

Tratamento gráfico: alto contraste, preto-e-branco e cor vermelha apenas.

Agência de Banco de mármore e granito. Luxo. Cadáveres de clientes caídos uns sobre os outros. Sangue nos corpos. Em primeiro plano, um segurança ainda cambaleia, com três tiros no peito.

Texto: "Muitos bancos se gabam de alta eletrônica e atendimento pessoal, mas só o Banco Goldstein pode se orgulhar de ter sido assaltado onze vezes nos últimos seis meses. Banco Goldstein, a preferência nacional."

Filme 30" — Cliente: Peru Maravilha

Um *travelling* em preto-e-branco com imagem granulada mostra imagens de flagelados e famintos no Nordeste brasileiro (observação: podem ser montadas num *cross cutting* cenas do Sudão ou Somália para provocar mais *recall*).

Sobre os rostos magros, locutor diz com voz grave (tom ONU): "Milhões de homens e mulheres não comem nada há meses no mundo (corpos vão sumindo em *fade out*). Graças a Deus, você não está entre eles!"

Imagem funde para peru colorido com apitinho. Locutor: "Aproveite! Coma o seu peru Maravilha, antes que acabe..." (apitinho do peru).

Filme 30" — Cliente: Uísque Royal Deep Throat

"Sabemos como você se sente. Menor, medíocre, sem lugar no mundo. E foi para homens como você que fizemos este uísque do mais puro malte escocês, engarrafado em Caxias."

Travelling de homens e mulheres lindos e bem-vestidos em festa chique.

Nosso herói entra de *smoking* malcortado. É feio e jacu. Cambaleia. *Close* de seu rosto raivoso num sorriso pastoso. Diálogo: "Babacas!".

Homem começa a quebrar a festa. *Pack shot*: Garrafa em primeiro plano, homem no ar, feliz, atirado para fora (fotograma fixo — *frozen frame*). Locução: "Royal Throat — mostre o que há de pior em você!"

Filme — Cliente: BabySoft

Fundo infinito. Tudo branco, lindo. Leves nuvens cor-de-rosa pintadas ao longe. Música suave. Muitos bebês lindos e gordinhos, inteiramente nus, engatinham felizes.

Uma voz de mãe cuidadosa faz a locução: "Só uma em cada mil crianças brasileiras pode tomar papinha BabySoft. Dê ao seu bebê a alegria deste privilégio. Papinhas Babysoft."

Filme 30" — Cliente: Cerveja

Dois mendigos tropeçam na sarjeta de uma rua. Ao longe, ruídos de escola de samba. Os dois mendigos se empurram e caem um ao lado do outro, completamente bêbados. O mendigo da direita aponta o dedo em riste para a câmera, como um número 1 trôpego.

Diálogo pastoso: "A número 1...!" O outro mendigo o esbofeteia. Diálogo (canta como Daniela Mercury): "No Carnaval você merece uma porraaaada!..." Tombam os dois vomitando (observação: *Pack-shot* livre de marca; este comercial pode ser vendido para qualquer das concorrentes).

Filme 30"

Imensa favela. Plano geral. Miséria e lama. Desabamentos, barracos caindo.

Locução grave: "Você não está nesta foto. Por isso, compre um imóvel Gomes Almeida Lindenberg." Surge maquete de luxo. Residence Flat Service — Village Wittgenstein — "o mundo é o que está em torno", perto da Giovanni Gronchi.

Filme institucional do Governo

Numa varanda do subúrbio, uma rede. Na rede se balança um homem magro, olhando para o teto. Sem trilha, sem nada.

Locução: "A recessão é necessária (homem muda de posição e coça o pé). Curta uma boa (homem rói a unha). Não há o que fazer, não faça nada (homem cochila, vago sorriso trêmulo). Faça da miséria um estilo de vida."

Filme — Cliente: Cigarro

Mesa *art déco*. Prato de *vermeil* com caviar. Copo de *bacarat* com vinho. Mão de mulher entra em cena, com maço de cigarros.

Off: suspiro de amor. Locução: "Está vendo este vinho, este caviar, esta mulher? Um raro prazer. Pois você não tem nada disso. Logo, fume Saratoga, o cigarro dos excluídos."

Filme — Cliente: Banespa

Como um vento de tornado, papéis podres, notas promissórias e títulos protestados giram em volta do prédio do Banespa, que vai sumindo, em *computer graphics*.

Locutor: "Sabemos que todos os CDBs do Brasil dão o mesmo rendimento, mas temos de gastar a verba de US$ 38 milhões e temos de manter as 'bolas' entrando no caixa do marketing. Agências e diretores mantendo sistema de lucro em ritmo corporativo. CDBs e RDBs Banespa — Corrupção gera progresso!"

Filme 30" — Cliente: Carro De Luxe

Carro de luxo canta pneu na estrada. Brilho da *carrosserie*. Tudo visto de baixo. Carro avança contra a câmera. *Off*: gemidos de dor.

Locução: "Desenvolvimento total, perfeição aerodinâmica..."

Montagem rápida em superclose: pneus velozes esmagam carne macia. *Off*: Gemidos fracos. Corta para plano geral. Carro some no poente, deixando na estrada o atropelado.

Locução: "'De Luxe', a elegância da violência veloz!" Corpo de atropelado como pasta sangrenta. *Close* dos lábios do morto, que balbucia sorrindo: "De Luxe."

Filme 30" — Cliente: Igreja Católica Apostólica Romana

Um grande céu azul e brilhante. No centro, um triângulo de infinita luz. Pilastras pós-modernas nos cantos do firmamento. Música celestial.

Voz imensa e melódica: "Ele fez o universo. Ele foi o grande diretor de criação. Agora vêm os evangélicos e falsas igrejas querendo levar seu rebanho, com templos de cinema, TV e pirotecnias. Não aceite imitações. Seja da Igreja Católica, a única que oferece a Santíssima Trindade (triângulo cresce, música idem). Deus: Pai, Filho e Espírito Santo — três em um!" Música. *Pack shot.*

Jovem não Deve Pegar Onda "Albanesa"

Não se combate a complexidade reacionária do liberalismo com palavras de ordem simplistas e cheias de certeza.

A UNE era uma palavra mágica. Ficava ali na Praia do Flamengo (quem lembra ainda?), um prédio de arquitetura fascista, onde tinha funcionado um clube germânico tomado durante a guerra. A sigla UNE me evocava um punho cerrado de certezas, uma aventura na liberdade.

O jovem estava em alta nesse ano de 1963. Ainda não era apenas um alvo do consumo, ainda não era esse ícone de uma liberdade vaga, paparicado pelo mercado de jeans. Tínhamos uma importância real no país. E isso não é um engano nostálgico.

Com a onda da modernidade (eu jurei não usar mais esta palavra), ou melhor, com o maremoto do consumo transnacional (epa!...) batendo às portas de nosso mundinho getulista, a política brasileira pré-64 era óbvia como um desenho animado.

A explosão social ainda não havia começado. Só era suspeitada pelas vanguardas literárias, mas não havia batido ainda na política.

Girava à nossa volta a arte européia do absurdo, a *pop art* americana, os *beats* já tinham mostrado sua fossa.

Na UNE, eu fui de uma ala mais independente que lutava contra a caretice esquemática do Partidão. Um dirigente do Comitê Central nos chamava a "turma da vertigem". Fidel Castro, Che, Cienfuegos, todos lindos com 28 anos, tinham conquistado Cuba, com suas barbas de *hippies* armados. Era irresistível. O absoluto parecia conquistável.

Daí a luz que cobria o prédio da UNE com uma radiação de vida nova. Eu entrei na UNE fascinado com aqueles garotos que falavam pelos cantos, com rostos cheios de responsabilidade, camisas sem moda, calças de terno (os jovens ainda usavam roupas dos pais).

Os primeiros Volks circulavam nas ruas vazias. (É terrível, mas já sou de época.) A política era poética. Muito mais que derrubar um governo, íamos mudar a vida. Mas o Partidão vigiava nossa "vertigem".

Nosso dirigente da base era um judeu de meias brancas em tristes sapatos pretos, Jaime, aliás Marcos, aliás companheiro, que além de tudo tinha um nariz cor-de-rosa furadinho de cravos. Eu ficava vidrado no nariz dele e prestava pouca atenção quando ele reduzia tudo ao "imperialismo norte-americano".

"Isso assim assim...?", perguntávamos. "Qual é a contradição principal? Não é o imperialismo? Pois é...", respondia.

Tudo, mulher, negros, sexo, arte, tudo era culpa do imperialismo. "Quando libertarmos o país, as mulheres serão livres", "Fulano é viado? Culpa do imperialismo..."

Lembro-me da noite de 31 de março, quando um colega eufórico me abraçou: "Vitória! Já ganhamos o imperialismo; agora só falta a burguesia nacional!" Senti um calafrio.

Horas depois, a UNE pegava fogo, ateado pelos fascistas. Vitória total, sem um ai da esquerda, sem luta, numa espantosa dessincronia com o tal de "absoluto".

Fomos derrotados por um general que se definia como "vaca fardada" (o general Mourão Filho disse, ao vencer: "Eu sou a vaca fardada!"). Fomos derrotados pelos elefantes de louça, pelos tristes jantares da classe média, pelos dedos rugosos em rosários, pelas faces burras dos fiéis das marchas da família, pelo homem-tronco Castello Branco que parecia um anão de jardim. Tudo que a gente mais odiava apareceu de repente, como um pesadelo.

Eles não tomaram o poder, propriamente. Era como se eles dissessem: "A gente sempre esteve aqui, a gente sempre esteve em nossos tristes pijamas, em nossos sofás *art déco*, sob nossos lustres de cristal, entre móveis *chippendale* do Catete. Vocês é que não nos viam..."

Nós, que nos achávamos o sal da terra, fomos vencidos pelas nossas tias velhas, num conluio vagabundo com os generais de pijama... No grande choque de 64, entendi com pavor (lembro-me da rua na tarde baldia) que a vida continuava e que ninguém ligava para meu sofrimento político. Entendi a morte. Amadureci anos em horas.

A grande dor nessa hora foi ver, pela primeira vez, o mundo das "coisas".

Era como se uma invasão das coisas duras do mundo houvesse começado, como um filme de terror. Eu, que vivera sempre pelas palavras, estava sendo humilhado pelo terrível mundo das arestas e dos tijolos de segurança, dos andaimes, das poças d'água.

As coisas ficaram com uma nitidez insuportável. Nós não tínhamos coisas, só chavões. Perguntei ao triste comunista Marcos, aliás companheiro-dirigente: "Nem uma pistola 32?"

Nada, nem uma 32. Nós não tínhamos armas. Nada. O rosto do judeu comuna de nariz cor-de-rosa parecia o de um palhaço tristíssimo. "Precisamos rever nossas posições", gemeu em sua autocrítica, "o imperialismo..."

Me deu uma ternura imensa pelo comuna triste. Mas vi que era impossível ganhar revoluções com líderes de nariz-cor-de-rosa e sapatos pretos com meias brancas.

Anos depois, eu o revi na clandestinidade, muito misterioso, com nariz novo, operado, camuflado. E vi naquele nariz artificial o prenúncio da "pós-modernidade".

Hoje vejo que éramos muito menos "agentes de uma mudança" do que pensávamos. O terrível é que talvez fôssemos os pretextos para um golpe de direita. Nós, que nos julgávamos estátuas heróicas, éramos mercadorias tão óbvias quanto as coisas que surgiam à nossa frente.

Fomos objetos de um processo sem nome que se alimentava de nosso romantismo, que precisava de nossa fé para ridicularizá-la.

O mundo se modificara e nós nem éramos as vítimas da armadilha; fomos o queijo da ratoeira. A vítima foi a sociedade toda.

Não pense, jovem radical que me lê (?) com desconfiada desatenção, que eu "fui incendiário e hoje sou do corpo de bombeiros". Não é isso. É que vejo que em 64 as "coisas" do mercado do mundo se apropriaram do nosso "não-querer" para poder se parir.

O mercado do mundo queria uma esquerda embriagada por palavras para justificar 64 e nos fazer devedores de uma dívida externa bilionária.

A "bolha maldita", a "Coisa" precisava da explosão de nossos *slogans* abstratos para tomar o poder e instalar uma economia de supérfluos, para criar um bolo jamais repartido e fazer um torto "milagre".

A banca internacional precisava emprestar dinheiro. O golpe de 64 foi feito para nos endividarmos (ou vocês acham que iam emprestar 60 bilhões de dólares para o Jango fazer a reforma agrária?). Nos aprisionaram para contrairmos a dívida externa em 64 e nos libertaram em 84 para pagá-la.

Hoje, o capitalismo de "fluxos globais" sacralizou o domínio do volátil, num delirante videoclipe de indeterminações. Até o indeterminismo foi vulgarizado. A idéia de "complexo" foi massificada e virou "confusão".

Os jovens devem resistir a essa mentira, a esse elogio do "mercado invencível". Só que isso não se faz com a adesão a táticas reativas e ao pensamento pré-industrial.

Os jovens entraram numa onda reativa albanesa. Acham que só o simplismo é viril, que complexidade é frescura de pequeno-burguês.

Hoje, os jovens deviam tecer sua esperança e seu programa levando em conta os detritos do mundo, respeitando as "coisas" e não querendo ignorá-las. Devem lutar contra o indeterminismo careta, em busca das ricas sobredeterminações do real. Não sei se me entendem.

Mas alguém vai entender. É que eu fico preocupado quando vejo a cara de certeza absoluta de líderes da UNE. Esse é o melhor presente que posso dar aos mais jovens: minha alma vazia, quando vi as coisas invadindo a vida em 64, enquanto a UNE pegava fogo.

Deputados Caretas Temem Comida de Passarinho

O deputado Fernando Gabeira importou sementes de maconha da Europa, para mostrar o uso "pacífico" da droga. Foi um escândalo para políticos caretas e policiais hipócritas.

A maconha não é nada, ou quase nada. Não é uma droga que corrói o fígado como o álcool. Não mata como a cocaína, esse veneno de rato branco que você respira depois de malhada pelos crioulos da favela. É natural: não tem o sangue jorrando atrás dela desde a Bolívia até o morro do Borel nem precisa dos bujões de éter no meio da floresta.

Não é como o ácido lisérgico, onde tudo se mexe como uma rumba azul.

Por que então a maconha provoca tanta inquietude, quando o verde deputado Gabeira importa uns quilos de semente, dentro da lei, semente de *Cannabis* que sempre foi dada para os canários cantarem mais alto?

Aliás, como afirmam os cientistas, a maconha faz até bem para o coração de muitos ansiosos.

Era comprada em qualquer farmácia nos anos 30 com o nome de "Cigarros Indianos", lindos pacotinhos com uma índia de cocar colorido, cigarros esses que protegiam as senhoras antigas da solidão, da repressão,

das "flores brancas", das dismenorréias, das alvas enxaquecas, dos desmaios histéricos.

A maconha é o melhor remédio para o glaucoma e produz um relaxo legal nos músculos e uma tranqüilidade que poucos calmantes proporcionam.

E, certamente, muitos remédios, "mezinhas" e panacéias poderiam advir do refino da mesma, para acalmar velhinhos em asilos e tranqüilizar agitados em suas camisas-de-força, com essa ervinha que, uma vez fumada antes do ato sexual, provoca longos orgasmos, podendo fazer com que ejaculadores precoces se segurem e frígidas senhoras uivem nos laços de um polvo invisível e volteante, entre gritos de ópera.

Isso dizem alguns, não eu, claro, que sou um pobre-diabo e nunca me aproximaria desta erva do demônio, desta *maria juana* temível.

Contam alguns "muito loucos" que o prazer sexual aumenta muito, já que a noção de tempo também se alonga, ficando tudo em câmera lenta, coisa desagradável se você está num túnel ou num engarrafamento de trânsito, mas que é delicioso não nos dois braços, mas nos cinco braços, ou nas cinco asas de uma mulher amada e que mesmo os lençóis brancos semelham ondas do mar e a cama vira uma nave indo em direção a alguma galáxia aí muito doida.

Dependendo da qualidade do *back*, da "massa" ou da *mary jane*, que pode ser um *acapulco gold* ou mesmo um "da lata" (oh!! As maravilhas que contam aqueles que já experimentaram o fumo das latas que foram lançadas por um navio louco nas águas da Guanabara e que até hoje são lembradas por velhos chincheiros e doidões, tendo até virado a expressão "da lata", significando "jóia").

Em suma, gente boa, como eu dizia acima, dependendo da qualidade do "baseado", nego podia ficar gozando horas seguidas, ajudado inclusive por uma boa música — Jimi Hendrix era legal naqueles anos 60.

Mas a razão deste raciocínio — não posso me perder, "mermão" — é a seguinte indagação: Por que será que a maconha provoca tanta inquietação, como quando dona Ruth declarou-se a favor da descriminação da mesma ou quando o Clinton disse que fumou mas não tragou e coisa e tal, afirmação aliás que fez FHC perder a Prefeitura, anos atrás? Por quê? Por que tanto auê, tanta onda, por causa duma mixaria que nem droga é?

Ou, como no caso agora do pacotinho do Gabeira, nosso deputado socrático, que gosta de provocar a abertura das mentes, por que causa tanta raiva nos caretas?

"Caretas". Esta palavra não está suficientemente "politizada". Todo mundo fala em "reacionário", de "esquerda", de "direita" e coisa e tal. E os caretas? Onde ficam? Muito da nossa desgraça política deve-se à caretice. Pega esses deputados e senadores aí, todos enforcados em gravatas e ternos escrotos, e pense quanta bobagem talvez eles cometam porque nunca tocaram num baseado...

Por que temem tanto a "diamba", aquela turminha braba que depois da Câmara vai tudo encher a cara com uísque no Piantela, entre peruas, gargalhadas e conchavos, por que essa gangue tem tanto medo do fumo?

A resposta é simples. Diferentemente da coca, da birita e outros bichos, a maconha libera o filho da mãe. O sujeito queima o fumo e dá um relaxo. A vida fica mais democrática, gente boa; rola uma nuvem azulada nos céus, e o mundo fica diferente, as coisas ficam mais livres, as obsessões perdem a valia, as culpas diminuem, e some a sensação de que a vida é uma grande Câmara dos Deputados, onde nunca há "quórum" para aprovar nossos desejos!

Ah...! Ah!... Boa comparação... e a vida fica mais bela que o bigode do Paes de Andrade, ah, ah... ou seja, a liberdade que ela provoca no sujeito é, digamos ("incopatível"), como é que se diz mesmo? — in-com-pa-tí-

vel... ah, ah... essa palavra é muito louca, gente boa, a maconha é "incompatível" com a caretice necessária ao bom exercício da política.

Me diz, me diz como um cara vai bloquear uma votação doidão, com a cara cheia de um "paraguaio com mel", nem mesmo precisa um *skunk*, basta um "pernambucano *light*"...

Já imaginaram o Congresso cheio de fumo? O ACM desbundando e indo morar em Trancoso, cheio de fita no pescoço? E a Jandira Feghalli, que já tem jeito de *hippie* careta, largando o PC do B e falando em "revolução interior"? Mas que que eu estava dizendo mesmo?... Ihh... esqueci, cara... é o seguinte... eu... ah, já sei... É o seguinte: é que eu acho, numa "boa" mesmo, que a rapaziada do Congresso tem medo da maconha, sabem por quê?

Porque desejam ardentemente experimentá-la, mas não têm peito. Porque "careta" é o cara que vive com a cara torta, armando uma pose, fingindo que é democrata sem ser, fingindo que gosta do povo sem gostar, fingindo que é honesto sendo ladrão.

Os vícios se escondem atrás de uma "careta", daí a origem da expressão... ah, ah... E esta sensação de liberdade é, como eu já disse, inco-incopa... "incompatível"... sei lá, deixa pra lá, gente boa, ou seja, por isso que nego quer mais é processar o Gabeira, que é um dos poucos caras legais dentro daquele antro de caretaços.

Talvez, se queimassem uns, passariam às reformas; talvez fossem menos ruralistas, menos evangélicos, menos corporativistas, menos viciados em jabaculês e coisa e tal. Por isso, estão com tanto medo da comida de passarinho... ééé... ééé... Os canários cantam melhor com as sementes de *Cannabis*... E tem mais... o seguinte... quer dizer... esqueci... tudo bem... É isso aí, gente boa...

Um Crime que Tenho de Confessar

O poeta Manoel de Barros é um surrealista-minimalista — pantaneiro, poeta das insignificâncias, dos detritos. Descobre dramas na vida dos caramujos, nos ovos de formiga e faz os sapos do lodo denunciarem nossa fragilidade. Li um poema dele, onde a morte de uma lacraia furada de espinho tem a pungência da morte de Isolda:

"Chega de escombros, centopeia antúria!
Estrepe enterrada no corpo, a lacraia
se engrola rabeja rebola
suja-se na areia
floresce como louca.
Gerânios recolhem seus anelos.
Está longe o horizonte para ela!"

Pois esse poema extraordinário lembrou-me um crime que eu tenho de confessar. Eu o cometi há um ano. É o seguinte: eu matei uma lesma no muro de meu jardim. Isso não é nada, dirá você. Pois, se não é nada,

saiba que essa ocorrência ainda não me saiu da cabeça. Volta e meia eu penso na lesma, minha vítima.

Vamos aos fatos. As chuvas trouxeram muita umidade ao meu quintal, feito de bananeiras e buxos, onde uma estátua de Ceres se recobre aos poucos de limo. Essas súbitas águas devem ter irrigado a "ínfima sociedade" dos bichos ocultos nas gretas do jardim, pois deram para aparecer grandes lesmas que se puseram a traçar riscos de madrepérola no muro do quintal.

Sempre tive horror das lesmas, com sua lentidão inútil, seu ritmo obstinado que nos lembra outros bichos que nos comerão, um dia.

Essa lesma não era um bicho nojento, mas grande e negra com estrias amarelas nas costas e dois chifrinhos orgulhosos, como uma lesma de desenho animado. Mas me provocou um horror inesperado. Será que meu asco saía da infância profunda, vinha de um nojo sexual qualquer? Eu me lembro de um analista que disse que só temos nojo do que queremos comer. Meu horror da lesma viria de uma antiguíssima fome de um bilhão de anos atrás, quando moluscos e vermes nos alimentavam?

O que sei é que a lesma me irritava muito, uma intrusa em meu muro. Para onde ela ia, afinal? Por que não me incomodavam as formigas, os sabiás gordos e egoístas a quem eu até atirava arroz e bananas? A presença daquele lento "vaginulídeo" era insuportável. Ela não podia ficar ali, quebrando meu mundo de harmonia, meu quintal planejado: arbustos, passarinho, bananeiras, estátua.

A lesma me jogava na Pré-história, quando os bichos escrotos nasceram; ela questionava que o jardim fosse minha propriedade privada, mostrava como era vago meu direito a esta vida correta, esta arrogância de humano, esta gravata, enquanto ela, toda nua, estriada de amarelo, subia no meu muro.

Eu conheço bem a agitação das lagartixas nos banheiros, nas frinchas da casa. Até vejo-as com simpatia. A lagartixa te respeita, percebe elétrica

tua presença, foge, te teme. A lesma, não. Ela te ignora, desatenta, em outro mundo denso e remoto. Ela te exclui. A lesma é *snob*. A lesma era meu perigo, a prova de minha fragilidade; o ritmo da lesma traía minha ansiedade, meu nascimento do nada.

De onde surgira aquele monstro sem infância, sem pai nem mãe? De onde, aquela auto-suficiência? De onde, aquela certeza de rumo? Que bússola ela usava? De onde, aquela convivência tão íntima com meu muro, como se os dois fossem feitos um para o outro? Como ela ousava me ignorar tanto? Por que meus sabiás não a atacavam a bicadas? Por que minhas formigas não a carregavam em funeral para o buraco? Por que ninguém fazia nada?

(Como se vê, minha loucura vai adiantada. Que vou fazer? Tenho de contar meu crime.)

Pois bem: eu estava angustiado com aquele ser sem história, ali diante de mim. Devo dizer que eu tinha sofrido naqueles dias pequenas humilhações, o que seria uma atenuante para meu gesto. Mas, em nome da verdade, tenho de confessar sem vacilos que o que eu queria mesmo era matar a lesma, sem motivo, só para vê-la morrer ali na minha frente, para curtir o prazer desse ato violento.

Deu-me um intenso desejo de exterminar aquela forma de vida, tirá-la de minha parede como se eu fosse o deus da lesma, o seu destino. Matá-la.

O quintal ficou mais silencioso, enquanto eu me decidia. Os sabiás não cantavam; estariam me observando? Então, com o coração batendo forte, eu fui até a cozinha. Disfarçadamente, querendo ocultar meu gesto da empregada, peguei rapidamente no armário um grande punhado de sal grosso (me disseram uma vez que o sal dissolve as lesmas num ferver venenoso, que o grande inimigo dos rastejantes é o sal).

Em seguida, levando o punhado de sal, voltei ao quintal, excitado como para um encontro de amor. Fui devagar até o muro, onde a lesma

fazia seu trajeto paciente. Ela já ia alta, como uma operária, como um atleta, um alpinista sério, concentrado em seu destino. Eu também me concentrava, na tocaia, e tremia de emoção.

E então atirei-lhe o punhado de sal no dorso. Por um instante, ela ficou coberta do pó branco; em seguida, eu vi tudo acontecer. Ela parou por um instante. Depois (eu juro que é verdade, na medida em que alguma verdade posso conhecer, se é que minha verdade serve para interpretar a dela), a lesma virou o corpo para trás, despegando-se do muro na parte superior de sua engrenagem, e se estirou mais ainda, como uma luneta mole, me procurando.

Então, por um breve segundo, ela me achou. Fixou os dois chifrinhos em cima de mim e me "olhou". A lesma me "olhou", sem raiva, sem dor, ela me olhou com imensa surpresa, para saber de onde viera aquela praga de Deus. E por um angström de um segundo, como um raio frio, como um bater de cílios, houve um contato entre mim e minha vítima. Só nós dois e, entre nós, um tremor de um bilhão de anos.

Mas, foi só por um instante, quase nada, pois o sal começou a ferver seu corpo e ela se desprendeu do muro, caiu pesada e sumiu entre as plantas rasteiras, morrendo, certamente.

No muro, só ficou a madrepérola do seu rastro: azul-pavão, cintilações rosa, um visgo ocre, marcando sua passagem pela vida. Como escreveu Manoel de Barros, "estava longe o horizonte para ela!". Até hoje, está lá no muro a marca do meu crime. Espero que as chuvas a apaguem, mas já faz muito tempo e nada sumiu. Para mim também está mais longe o horizonte.

Análise Lógica de uma Frase Sobre a Burrice

FHC falou: "Para ser de esquerda, não precisa ser burro." Uma frase que há alguns anos teria um significado óbvio lançou intelectuais em pânico. Como se a carapuça lhes coubesse. Estranha identificação.

"Falaram aí de um animal de carga, com patas ferradas, orelhas longas e um rouco ornear nos campos? É comigo! É comigo!", urraram muitos com ódio. E se defendiam: "Eu não sou burro, e sou de esquerda!"

Assim, torceram o significado da frase dita na TV, como se FHC tivesse dito: "Quem é de esquerda é burro!" Mas, como o próprio FHC se intitula de "esquerda", teria sido vítima do próprio silogismo: "Se todo esquerdista é burro e eu sou de esquerda, logo eu sou burro." Seria uma burrice, ou uma confissão.

Claro que ele queria dizer: "Sou de esquerda, mas, ohhh... sou inteligente." As palavras são feitiços. Há palavras terríveis: "Burro". Existe coisa pior? "Esquerda".

Há alguns anos, "esquerda" era uma palavra nítida. Hoje, é ambígua. O sujeito entrava no botequim e berrava: "Eu sou de esquerda!" Todo mundo entendia. Aliás, nem precisava falar; o jeitão bastava. Eu me lembro do Tarso de Castro entrando no Antonio's e os burgueses confrangidos, oferecendo-lhe as mulheres, cochichando: "Olha ali o homem de esquerda..."

Pressupunha inteligência imediata. Hoje, não. Vejamos.

Segundo FHC, o sujeito pode ser de esquerda e ser inteligente.

Esquerda não inclui burrice. Ao contrário, a frase era excludente, separava as categorias: a) burro; b) esquerda. Permite uma combinação infinita: podemos ter esquerdistas burros e esquerdistas inteligentes, burros de esquerda e burros de direita.

A forma "não precisa ser burro" significa, por denegação, que o sujeito pode ser "de esquerda e não-burro". Ou seja, substituindo a oração negativa "não precisa ser burro" por uma afirmativa, teremos a hipótese "para ser de esquerda, pode-se (ou deve-se) ser inteligente".

Infelizmente, daí poderíamos deduzir que para ser inteligente "não precisa ser de esquerda", o que, sem dúvida, fez muitos diligentes patrulheiros suspeitarem da frase que, por um torpe corolário, pode insinuar que "se, para ser inteligente não precisa ser de esquerda, logo um direitista pode ser inteligente".

Assim sendo, ele estaria "louvando" a direita por tabela. Não defendo a frase de FHC (que achei até mal resolvida como forma). Eu, se presidente (ahhhh, sonho de delícias!), teria dito mais propriamente: "Sejam de esquerda, mas não sejam burros." Ou: "Sejam de esquerda, mas inteligentes."

Então, vemos que o que doeu fundo na alma de intelectuais não foi o perigo de não serem "de esquerda" (este galardão que ostentam desde 1789), mas o risco do apodo "burro". O sujeito aceita tudo, menos ser chamado de "burro".

Logo, vemos claramente que a dicotomia principal é "burrice ou inteligência" e não "esquerda ou direita". Podemos marcar novos balizamentos.

Temos a categoria: "os burros".

Podemos ter burros de esquerda e burros de direita. Há esquerdistas de todo tipo. Marx era de esquerda, Paulo Paim também. Portanto, vemos que a categoria política não salva ninguém, nem condena. Já a opacidade da mente, o quengo impenetrável, talvez seja um fenômeno mais amplo do que suspeitávamos no Brasil.

Assim, talvez o termo "esquerda" seja usado muito como "biombo" para esconder uma deficiência mental inconfessa: "Sou de esquerda, logo não sou burro." Ou: "Se fosse burro, não seria de esquerda."

Seria simples, se o conceito "esquerda" tivesse ainda o brilho puro dos tempos de Tarso de Castro (vide acima). Há inúmeras acepções para o termo, hoje.

Marx dizia: "Eu não sou marxista." Ou seja, o que definiria a esquerda seria justamente sua capacidade de adaptação às situações novas, de modo a conseguir, pela mutação rápida (como as lulas), uma modernização de táticas para defender os explorados na luta de classes.

Ao dizer "não sou marxista", o grande gênio insinuava que não se aferraria como uma mula a eternos dogmas, mas procuraria ser "radicalmente aferrado à complexidade" (cf. as ótimas páginas de Althusser em *Pour Marx*, no qual ele mostra como se chega ao simples passando pelo complexo e não o contrário).

Logo, a se depreender da expressão feliz de Marx (ele ao menos, creio, é insuspeito), a categoria "de esquerda" não é uma virtude inerente, um adereço da alma, um ornamento do coração como, digamos, ser "bacaninha", bom pai, ou ser Flamengo.

Assim, a "esquerda" não é um termo tranqüilo como, digamos, "mar" ou "flor". A palavra é cambiante, cheia de perigos. O fato de eu escrever

este texto levanta suspeitas crudelíssimas como: "Que estará esse pequeno-burguês querendo provar? É-se de esquerda ou não, questão de fé!"

Logo, o epíteto "esquerda" faz sucesso porque é sintético. É a mãe das categorias, que engloba todas as virtudes e até absolve fracassos ("fracassei porque sou de esquerda" — nunca o vice-versa). Ser de esquerda não é uma marca inevitável como, digamos, ser corcunda ou perneta. O homem de esquerda o é por opção auto-sustentada. Nós, que nos achamos "de esquerda" (eu também), nos arrogamos uma universalidade delirante. Outras categorias não são tão abrangentes assim.

As minorias sexuais ou raciais, por exemplo, não se atribuem tais grandezas. Um sujeito é gay. É bonito, é a assunção de um limite, de uma marca na alma que lhe dá a grandeza da coragem. Ou o sujeito é negro. Idem.

Isso os engrandece por ilhamento, inclui-os na luta do mundo real. Mas também não os exime de eventuais pequenezas. Por exemplo, o cara pode ser gay e racista. "Eu nunca darei para um bofe crioulo!" Ou pode ser negro e antigay: "Esses viados chamaram nosso herói de 'Zumba, a rainha dos Palmares'!"

O esquerdista da alma, que nada faz, só diz que o "é"; busca uma absolvição eterna. Assim, na linha desse perigoso raciocínio, vemos que muita gente que se diz "de esquerda" usa esse auto-apelido para dizer que é inteligente, ou para justificar uma inação política, substituída por um desejo abstrato do Bem. Ou, ainda, para esconder um fracasso.

Há um tipo de esquerdista virtual que não quer acabar com a miséria. Ele pretende mantê-la *in vitro*, para nela se dessedentar, para dela beber.

Eles abominam complexidades administrativas e providências práticas que podem pôr fim a seu viveiro de ilusões. Talvez eles se enquadrem na categoria de socialistas utópicos, contra os "científicos" de que falava

Marx. Ou ainda podem ser daqueles que fazem a "miséria da filosofia", como Marx apodou o Proudhon, quando este o acusou de ser o "filósofo dos miseráveis".

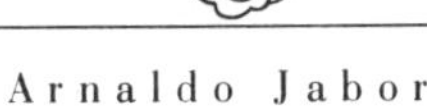

O Massacre dos Sem-Terra Mostra a Inutilidade do nosso Horror

Em Eldorado, Carajás, foram assassinados 19 militantes dos sem-terra. Até hoje os criminosos estão impunes, mas o massacre foi uma luz de entendimento sobre o país.

O massacre é sempre culpa do "Outro". Ninguém quer partilhar o massacre. O massacre dos sem-terra é um latifúndio improdutivo que ninguém quer dividir. O massacre dá a sensação de que algo aconteceu, quando não aconteceu nada. Houve apenas uma coisa que sempre esteve ali, acontecendo sem parar, uma máquina suja que funcionava em silêncio.

O massacre tem a função dos sacrifícios rituais antigos: serve para nos purificar. Todo mundo se indigna, todo mundo lamenta, todo mundo fica mais "bom". A CNBB fica mais santa; a oposição corre com os rostos compungidos e segura os caixões como se fossem os proprietários privados da dor.

O massacre dos sem-terra teve a "vantagem" de mostrar a inutilidade de nosso horror. Nosso horror "não" está no massacre. Lá não é o mundo das idéias. Lá é o mundo. O massacre é uma eucaristia. Todos comemos aqueles corpos como um sarapatel. Eles nos limpam e aliviam. Graças a Deus, não estamos lá. Graças a Deus, podemos nos "indignar".

O massacre é iluminista, é uma aula de vida — para os *voyeurs*, como nós. Os massacrados/massacradores são mais profundos que nós, porque nós só falamos, e eles estão no centro da escrotidão do sangue e da merda.

Os massacradores cumprem as ordens invisíveis que vêm de todos os lados: dos fazendeiros, dos políticos, dos juízes, da lógica secular da Colônia e, depois, ficam de boca aberta diante de nosso escândalo: "Como? Mas vocês não pediram?"

Para eles não houve massacre; apenas um dia agitado do inferno onde moram. Os massacradores são nossos enviados especiais.

Os massacradores (desde Carandiru, Candelária, Vigário Geral) são nossa "vanguarda". Além de serem uma síntese do que é o Brasil, eles inauguram a nova Política de Extermínio, que é o *l'air du temps* da nova direita mundial. Vejam a decisão sublime do Tribunal de Justiça de São Paulo sobre Carandiru: "A culpa foi das vítimas!" Foram 111 culpados.

Só que os massacradores são muito "óbvios" para o nosso gosto fino... Interpretam com boçal realismo nossa violência "discreta". ("São muito literais esses PMs, levam tudo ao pé da letra... cruzes...")

Os massacradores são os massacrados de uniforme. Os massacradores podem dizer: "A gente matava neles a nossa vida miserável que nos fazia estar ali matando eles." O bem e o mal se juntam numa massa sangrenta. O país se choca. Mas ninguém sabe a verdade. A verdade é uma terceira coisa sem nome onde ninguém escolhe nada: nem morto, nem matador.

Nossa *finesse* reage com uma certa raiva dos sem-terra: "Por que não param de encher o saco?" Preferíamos os pobres simbólicos, longe. Era uma miséria boa, controlável.

Os intelectuais sempre gostaram de uma miséria *figée*, *en galantine*, uma miséria em compota. A miséria tinha uma função social: aplacar nossa consciência. "Agora, não; deram para invadir tudo... A miséria está querendo papel principal. Antes era figurante. Esses miseráveis andam

muito exibidinhos... Querem entrar na Globo. Logo agora, que tinha saído de moda no mundo todo, a miséria quer aparecer no Brasil... Somos atrasados, mesmo", pensamos.

O massacre dos sem-terra foi útil, porque aprendemos mais sobre o nosso Brasil. Em vez das ocultações da ditadura, aprendemos muito sobre nosso destino escroto, até que chegue outra ditadura, que virá para fazer grossamente as reformas que a democracia não quer fazer.

Aprendemos no teatrinho de cordel sujo, como um grande intestino emaranhado, onde aparecem os corpos ensangüentados, a cara de boçal dos oficiais, o riso dos capangas descerebrados, o escrivão batendo na máquina de escrever Underwood no meio do capinzal, o advogado de Macaxeira com bela barba cínica fazendo blagues, certo da transa funda entre juízes e fazendeiros. O massacre nos ilustrou sobre a impotência do poder. Tudo tão chocho, tão simples. Como os massacres são simples!... Tudo tão diferente do escândalo épico dos jornais!... Aprendemos como a morte é simples. A crueldade é tão fácil de aprender...

Aprendemos com o massacre sobre o oportunismo dos bons. Até os estrangeiros faturam os cadáveres. Os exportadores ingleses de mogno, os seculares exploradores da nossa miséria, os frios americanos, os franceses colaboracionistas e racistas, todos se indignam pelo mundo afora. E, mais perigoso ainda, as velhinhas de Kentucky ameaçam tirar seu *smart money* aplicado aqui.

O massacre tira o sono do Citibank, *that never sleeps*.

O massacre nos mostra a cara de "justos revolucionários" dos líderes dos sem-terra. Os delírios maoístas guiam as foices dos desvalidos. Seus líderes se acham "heróis" contra o que chamam de "neoliberalismo". O líder Stedile é o Mao Tse-Tung dos matagais.

O massacre aumentou o patrulhamento sobre qualquer discussão que questione a reforma agrária clássica dos sem-terra. Falar em agroindústria e produção de comida virou papo de "neoliberal de direita".

Depois do massacre só interessa ao emocional oportunismo e aos emocionais ignorantes as soluções "zapatistas". O massacre fez o governo aceitar um erro político para não cometer um erro político!!!

O massacre nos mostra ainda como o humanismo é pouco. O massacre mostra que os fatos correm mais rápido que as interpretações, e que nossa piedade não explica nada. O que aconteceu são apenas alguns espasmos do insolúvel.

Uma solução moderna para o campo não emociona, nem somos suficientemente práticos para realizá-la. Essa é verdade. O Nordeste poderia ser um celeiro da Terra, alimentando o Brasil e exportando comida para o mundo. Não será. A indústria da seca não deixa, aliada à "indústria da revolução".

33 Perguntas Sobre a Crise da Arte no Brasil

Cansei de ser pós-moderno. Quero ser moderno de novo. Chega de ficar só falando de política. Falemos de arte.

Ando tão ligado em política que algum tempo atrás fui ao Egito. Como um besouro, eu me arrastei por dentro da pirâmide de Quéfren por 60 metros, dentro de um túnel de 50 centímetros de largura.

Sem ar, caí dentro da tumba do faraó, construída há 5.000 anos. Entrei na tumba, debaixo de bilhões de toneladas de pedras, e pensei: "E o PMDB?" Isso já é doença.

Chega. Pelo menos hoje, vou falar de arte.

Outro dia, escrevi um pobre artigo que falava da necessidade de surgir uma nova arte no país.

Estamos encurralados num beco sem saída ideológico, ninguém sabe nada de nada. Só a arte pode "pensar" o desconhecido.

A barra pós-utópica está pesada, tudo bem. Mas não é só o "mundo mau" que seca a criação. Nem só o mercado sinistro.

A idéia de "novo" na arte brasileira está muito amarrada a velhas teses estéticas. Nem falo das ideologias do "conteúdo": falo da ideologia da "forma".

Não há mais ditadura; temos democracia. Por que não rola uma nova bossa? Não sei.

Faço perguntas aos artistas e gostaria de ouvir respostas. Falo de literatura, cinema, teatro e outras musas.

Será que a "vanguarda" não ficou acadêmica? Por que teorias estéticas de 1916 (desde o "dadaísmo") ainda policiam a criação?

Por que o conceito de "experimental" está ligado à idéia de sofrimento, autodestruição, proibição da redundância e ao cultivo do desagradável e do feio? Por quê?

Por que a experimentação não pode ser, como queria Stravinsky, "exaltante"? Será que a arte não se fechou numa paranóia conceitual e minimalista, que impede a generosa loucura de um neobarroquismo?

Quem disse que Duchamp e Mallarmé têm de patrulhar a pintura e a poesia até hoje? Quem disse que Joyce tem de matar os atuais escritores de sentimento de culpa por não destruírem o discurso linear?

Será que Joyce não estava já maluco quando fez o *Finnegans Wake*? Quem tem coragem para concordar?

Por que prevaleceu a vertente "triste" do modernismo, a vertente "conceitual", que joga sobre o "mal do mundo" apenas um vago mau humor, uma ideologia nevoenta de criticismo sem nome, apenas uma arte enojada contra o mal-estar da civilização?

Será que não está na hora de se recriar um construtivismo positivo, em vez da destrutibilidade automática?

Por que a melancolia seria mais profunda que a alegria? Será que não existe uma igreja dogmática de velhos clichês do "novo", que proíbe qualquer transgressão à "transgressão oficializada"?

Quem eu prefiro? Picasso ou Duchamp? Prefiro Picasso. Será que isso é "esteticamente correto"?

Vou confessar um crime: eu acho o John Cage chato para cacete. E aí, me assalta uma dúvida: será a diversão superficial e a chatice profunda?

Será o tédio uma forma "revolucionária", que depura com rigor moral a festa alienante do mundo ocidental? Talvez eu esteja errado em achar o chato chato. Talvez o chato seja eu.

Será que o rigor minimalista não é muitas vezes um disfarce para a falta de graça e de talento? Será que a "graça" (*wit*, *verve*, *charm*) é de "direita"?

Tudo que é sólido desmancha no ar. Tudo bem. Será que não está na hora de novos "erros sólidos", que depois "desmanchem" no ar? Será que eu estou errado?

Será que o que eu considero a "falta de generosidade" da arte atual é apenas uma renúncia ética e "grave" às frivolidades da "vitória" burguesa e fácil?

Sempre tenho a sensação de desperdício quando vejo a arte seca, fúnebre, bodeada, fugindo do mundo.

E se a arte tentasse disputar pau a pau com o sistema, mesmo sabendo que perde, em vez de cair nessa velha autoflagelação acusatória?

Será a melancolia a única forma de reflexão? Como então explicar Fred Astaire, Busby Berkeley, *Cantando na Chuva*, a arte *pop*, o *jazz*?

Depois do *pop*, será que uma "Aids conceitual" não atacou tudo, depauperando a luta? Sei que é dura a redundância exigida pelo mercado. Mas não será essa a luta *par excellence*?

Quando vi os Rolling Stones no Brasil, vi a arte moderna em pleno triunfo, debochada e feliz. E escrevi que os Stones são "o Bem que o Mal do mundo produz".

Os Stones são a razão que o progresso da loucura deixa cair na arte. É isso: por que o "Bem" não pode estar além do "mal"? Por que tem de estar sempre "aquém"? Por que o artista tem medo de se sujar?

Será que a indústria cultural de massas justamente não "a-do- ra" que a arte fique tristinha e órfã e bem *povera*, para poder triunfar com plenitude voraz sobre a Terra toda?

Será que não existe um militarismo seco na vertente triste da arte moderna? Será que não se esgotou a denúncia do feio pelo "mais feio"?

Como explicar a explosão de vida de um Maiakovski? Será que na recusa a qualquer *drive* belo e profuso, generoso, não estará oculto um idealismo utópico que odeia a vida real, por adesão a um impossível platonismo?

A arte tem de buscar o novo. Mas o "novo" terá de ser somente reativo? O novo não poderia ser um "belo" que denuncie, com sua luz, a injusta vida?

Será que divididos entre "o meio e a mensagem" não estamos em lugar nenhum? Será que divididos entre o mercado e as regras de ouro da criação de 1916 não acabamos paralisados?

Será que não há uma academia da vanguarda que patrulha a nossa maravilhosa liberdade de errar?

Como disse alguém: "Antigamente, a vanguarda chocava a classe média; hoje, a classe média choca a vanguarda."

Bispo Edir Macedo Criou o Deus Executivo

As cenas de Von Helder, o pastor evangélico que chutou na TV a imagem de Nossa Senhora, virou um emblema claro da loucura nacional.

O pastor Von Helder chuta e dá socos em Nossa Senhora Aparecida. Mais que um sacrilégio, a imagem é de um infinito poder de síntese. Parece uma bandeira do Brasil. Tem um fundo azul de nitidez insuportável. Vemos a santa pequena à altura dos joelhos do bispo que chuta e dá murros. E a cena tem um detalhe genial. A cada chute do bispo a câmera corta para *close* do rosto da Virgem, como se ela sofresse na madeira escura, como se uma lágrima rolasse.

O pastor Von Helder é atualíssimo. É um *mix* de guarda de segurança com TFP, tem o rosto idiota dos *serial killers*. Seu gesto foi um incesto invertido: um matricídio. Tocou no intocável. Ataca a mãe e, por decorrência, a "pátria amada". Ele ataca o misticismo brasileiro "inútil" da Nossa Senhora Aparecida preta. Quis ser "moderno" e gritava: "Ela não funciona!" É uma luta pelo mercado. Parece guerra de anunciantes em que uma marca de carro destitui a outra de valor: "Não funciona! Ela é preta, ela não tem valor de mercado. Ela atrapalha os negócios com antigas superstições."

É impressionante a quantidade de crimes que esta cena gráfica condensa. Ele denunciou a si próprio. Ele foi um ato falho. A imagem é uma mulher. Ele, um homem. Ele é grande, ela é pequena. Ela é preta, ele é branco. Ele bate nela porque ela, com o charme desorientador de sua santidade, afasta os fiéis da sua igreja e promete um paraíso abstrato, longe de uma "igreja de mercado". Ela tem dois mil anos. Ele é neoliberal. Ela foi feita de séculos de loucuras por uma felicidade sonhada. Daí sua aura. Ele não. Ele é um despachante da fé. Edir Macedo e Von Helder são a religião populista contra as religiões populares. São contra as místicas do milênio, contra a beleza da loucura. Só lhes interessa o comércio da loucura.

Querem acabar com a luz e sombra dos templos, querem acender a luz de néon dos supermercados. Toda a beleza das religiões é exterminada. Odeiam as religiões afro-brasileiras. Nossa Senhora Aparecida é Oxum no candomblé. Edir e Helder odeiam o candomblé porque ele condensa o amor negro do povo e celebra-o em lindos rituais de cachoeiras e florestas.

Diferentemente dos babalaôs, dos bonzos, dos monges, os bispos da Igreja Universal odeiam os mistérios. É estranho, uma religião que busca exterminar o sonho: "Não funciona! É mentira! Não há Oxum, não há santos, não há anjos!" Só toleram o Diabo, porque ele é útil nos rituais. O Diabo é o concorrente. Se pudessem, os bispos da Universal acabariam com a idéia de Deus, por ser muito abstrata. Ficariam só com Edir Macedo.

Ao contrário dos religiosos que acreditam nos mistérios que propagam, Edir e os cardeais da Igreja Universal não acreditam em Deus. Isto é visível na TV. Milhares acreditando e só os pastores de cabeça fria. O mistério não é comercial. Edir quer uma religião de resultados. Não promete nada no Além, como os católicos. Trata-se de pagar para não sofrer mais aqui. Promete o quê? Promete um paraíso de classe média, de terno e gravata. "Se você, desgraçado, aleijado, pagar o dízimo, você deixará de ser um excluído!"

Por isso, o mercado-alvo da Universal é o "lúmpen", o subcão, o pó-de-mico. Não propõem nem o paraíso, nem a floresta africana; prometem o *shopping center*. Daí seu sucesso. Mais que tudo, o mundo de hoje odeia a transcendência. Não há nada além do visível. É isso que Helder chuta.

Há igrejas evangélicas que são legais. Muitos convertidos até melhoram. Param de beber e bater nas mulheres. Muitos evangélicos têm amor aos rebanhos. No caso de Edir, não. Não há carinho, nem desejo de ajudar ninguém. Tudo é mentira. Isto é que choca: a crueza do extremo egoísmo no uso da miséria.

Quem não viu os rituais de exorcismo na TV não sabe o que está perdendo. É uma visão do inferno que virá. É uma visão dos futuros extermínios em massa. Centenas de miseráveis que não têm mais nada, sendo espoliados por outros miseráveis, os "obreiros", que podem subir para "pastores" e talvez "bispos", numa pirâmide invertida de horrores, como pilhas de frutas podres no lixo da rua. O demônio se apossa em massa dos desgraçados que são, então, "expurgados" de si mesmos. Isso. Os pobres vão ali para serem exorcizados da própria miséria. Eles são lavados de si mesmos como num campo de concentração. Os pastores gritam: "Queima! Queima!", como se estivessem queimando o diabo. Mas são os pobres-diabos que querem se extirpar da miséria deste mundo. O miserável dá dinheiro em público em grandes sacos e se sente menos miserável. Quem dá, é porque tem. Logo, o pobre se sente menos pobre, dando. O rico é que pede esmola ao miserável. Quem pede a esmola é o dono da TV, das rádios. Quem paga é quem não tem, grande metáfora concentrada de nossa pirâmide social.

A cena da TV foi de uma imagem viva batendo na outra. Ou melhor, Von Helder é uma imagem da imagem. Reparem que o bispo Macedo é uma espécie de Deus-Pai, e que todos os outros pastores foram criados à sua imagem e semelhança. Todos copiam o *style* Macedo: terno, gravata, raspadinhos, limpinhos. É isto que eles prometem aos miseráveis: "Se vocês pagarem, serão transformados em nós. Limpinhos, poderão ir para o paraíso da burguesia." Mas Edir também é a imagem de uma imagem. De quem? Ele é o Deus de gravata, ele é um papa-executivo, tem algo de Billy Graham, de Chirac, algo de Collor, de Quércia, até mesmo de um Lair Ribeiro. São os ídolos da caretice impecável. Edir copia a imagem do *clean wasp* americano. O modelo de Edir é o "ideal americano" de gente limpa; assim se vestem os diretores saxões das corporações, com a indefectível canetinha no bolso. Deus e o diabo na terra virtual. Deus usa gravata. Deus é o executivo. E o diabo é quem? O diabo é o povo.

O que vender a eles? O nada. Eles pagam com seus últimos centavos. Edir prova que a exploração não tem fundo; dá para roubar mais sempre, dá para extrair até o sangue dos cadáveres. O pobre paga por si mesmo. Ele é a própria mercadoria. Zero de custo operacional. Será que os americanos já calcularam isso? De tostão em tostão, se faz um milhão. *Good business*, vender o nada para o Zaire, para o Sudão, para o Piauí. Vender o quê? Edir neste ponto é um grande empresário: descobriu o reciclamento do lixo humano. Manda para o mundo inteiro um belo produto de nossa exportação. Este é o grande milagre de Edir: transforma merda em ouro. Ele prospera na miséria.

Eu Queria Filmar a Beleza Trágica da Miséria

Meu primeiro trabalho em cinema foi com o Leon Hirszman, em 1963, como assistente de direção em um documentário no interior do Nordeste sobre fome e analfabetismo. Foi meu primeiro contato com a miséria brava, para nós que víamos a "política como uma estética".

Quando estávamos fundando o Cinema Novo, tínhamos uma profunda atração pela miséria, não apenas por nosso humanismo de esquerda. Eu tinha fascinação estética por aquele mundo descarnado, feito de ossos e caveiras.

De câmera na mão, percorremos as caatingas desertas com o suspense de estarmos num filme de Antonioni, como se estivéssemos no centro de um grande Malevitch, um "branco sobre branco" miserável.

O vazio sempre foi uma fascinação para a arte moderna, e o sertão seco tinha um rigor formal que evocava João Cabral, o *Waste Land* de Eliot e, suprema paixão minha na época, Samuel Beckett, o escritor irlandês que eu amava por seus seres mutilados, perdidos em saaras metafísicos, personagens de um "nada" que a Europa nos mandava com o "absurdismo". Tínhamos a dor da miséria, mas queríamos que a tragédia social se expressasse numa espécie de triunfo poético. Para nós, o "nada" era no Nordeste.

Andávamos com a câmera na mão pelos rasos e favelas do sertão, entrevistando camponeses. Mas, diante da câmera, surgia apenas o "pobre homem" roubado de tudo, até da consciência de sua dor. Em vez de grandes momentos dramáticos, só conseguíamos filmar vagos resmungos sobre "Deus quis assim" ou "o governo pode ajudar".

Os flagelados da seca não "cooperavam" muito com o cinema. Os miseráveis estranhavam nossa "compaixão". Como o senhor de engenho, eles acham que não valem nada. Os miseráveis não sabiam que sua vida era "nosso horror".

De certa forma, eu sofria mais por eles do que eles mesmos. E nós, comunas dessa época, víamos no miserável a suja bandeira do futuro, a ossada poética de onde ia surgir a nova vida. O nordestino pobre era para nós uma alegoria da revolução, mas não sabia disso. O miserável era nossa salvação. Mas diante da câmera só rolava o vazio de um discurso humilde, abobalhado.

Foi então que chegamos à rua do Sol. Com esse nome grandioso, a rua do Sol não era nem rua. Era um beco sujo no fundo de uma favela, a duas horas de João Pessoa. Entramos numa casa pequena, entre porcos e crianças. E de repente tudo aconteceu. Como uma explosão de luz, tudo ao mesmo tempo, como uma máquina perfeita.

Num canto da casa, um velhinho magro e sem o braço direito tremia sentado num banco. Tinha a barba branca e a pele cor de barro, e seus olhos eram duas brasas vivas. Ele falava sem parar algo como uma música indistinta, enquanto ao fundo uma velha magra ria como uma boneca mecânica de parque de diversões.

No meio da sala de terra, crianças nuas choravam, outras riam e uma mulher nova, morena, falava alto, com marcas de ferimentos nos braços, como cortes de estilhaços caídos. A mulher gritava para nós, que invadimos a casa com a câmera na mão: "Olha, olha lá no teto! Olha no teto os restos do menino! Ele explodiu e os restos dele bateu nos meus braços e foi avoando para o teto, me molhou tudo, não foi, mãe?"

E a velhinha ria, ria como bruxa de teatro infantil, e o avô sem braço tremia, e nós não entendíamos nada, e eu sentia que alguma coisa maior surgia ali na sala, e a câmera rodava: "E o menino tinha a cabeça grande desde que nasceu, e ela foi crescendo, crescendo, e ele ficava sempre deitado ali no caixotinho, e a cabeça dele foi crescendo do tamanho de uma melancia, e só os olhinhos olhava a gente, e tinha um povo que vinha ver e dizia que ele era enviado de Deus, e até que ontem foi aquele estrondo forte, juro, e quando eu olhei tava tudo molhado e até no teto tinha coisa dele grudada!"

A velha no fundo do barraco ria sem parar, as crianças pulavam de excitação: "Avoou! Avoou!" E a câmera foi pegar o rosto da velha que ria. De um alto-falante da rua começou a sair uma valsa vienense (o que fazia o "Danúbio Azul" na rua do Sol?), e o clima foi ficando um misto de arrepio de horror com precisão trágica.

Tudo compunha o quadro de perfeição: os gritos, os risos, os vôos da câmera para o teto da casa procurando pedaços de miolo, a valsa. A câmera foi para o velho que estava como que cantando uma melopéia, uma ladainha de arame, uma "galáxia" com som metálico, e ele apontava com o único braço para a câmera: "Retrato? Tira retrato de mim! Eu sou o bagaço do engenho!"

Ele tremia, tremia. "Eu passei por dentro da engrenagem do engenho e meu braço ficou preso lá e depois eu peguei a tremer e tremer e já estou tremendo, moço, faz 11 anos desde aquele dia em que a mula do engenho deu um arranco na roda e meu braço entrou na engrenagem e virou bagaço, e foi porque a mula deu um arranco com força e caiu morta, ainda dependurada na vara da moenda, e a mula eles levaram morta embora, e meu braço ficou lá no meio do melado e desde aí eu não tenho mais serventia. Eu não morri não sei por quê. Eu queria ir atrás do meu braço!"

E a música tocava no alto-falante agudo da rua (por que uma valsa?), e a máquina foi se fechando, o palco foi se formando, o quadro foi se formando (o quê? Durer, Grunewald?), uma massa abstrata de vertigem se formava no ar (o quê? Kandinski?), e a filha do homem chegou perto gritando: "Tira o retrato da cabeça dele lá no teto!" (Beckett, talvez?).

E a velha começou a rezar alto no fundo, e o velho gritava para nós, com voz de metal: "Vocês querem me ajudar? Por que não me matam? Me mata, pelo amor de Deus! Ela não quer me matar!" "Eu não, pai, cruz credo!", e a filha dava gargalhadas. "Me mate, seu retratista, são 11 anos sentindo dor, eu quero ir atrás do meu braço!"

Eu não estava diante da tragédia clássica, em que a morte é a "moira" temida; ali a vida era o medo máximo, ali a vida era uma morte falada. Não se tinha o medo de sair da vida; o medo era de ficar nela. O "nada" viria como alívio.

"Me mate, meu companheiro!", o velho gritava, e no fundo a velha já cantava, e a valsa metálica vinha de Viena, e estava aceso ali o drama em flor, ali surgiam Bosch, Sófocles, ali estava Shakespeare, finalmente a arte no meio da miséria!

"Oh, céus de Munch! Oh, Goya entre os telhados!" — cantei como um pequeno-burguês. E saí com os olhos cheios d'água, que secaram assim que cheguei à luz da rua do Sol.

Por motivos marxistas ("muito absurdista", disseram), a cena não foi montada no filme, mas até hoje guardo o horror puro na alma (Conrad?). Entre gargalhadas e mortes, sob um céu de Francis Bacon, a cena era Beckett puro. Os intelectuais já podem sossegar. O "nada" é no Nordeste.

Juízes Trazem os Bons Tempos de Volta

*O Supremo Tribunal Federal absolveu o ex-presidente Fernando Collor por falta de provas. Que grande festa deram os ex-atores da nossa "chanchada pré-*impeachment"!

A festa começou com uísque, mas logo o champanhe explodiu. O presidente olhou sua taça gelada e, através dela, viu a euforia dos amigos. O bigode do advogado Evaristo de Moraes voava pela sala como um pássaro peludo, entre risos, gritos, os cabelos cacheados de Claudio Vieira e as amigas-chanel de Rosane. Empregados negros enxugavam lágrimas no avental ("Ê... ê... sinhá... os bons tempos voltaram!...").

Collor foi até a beira do lago e, com o charuto, acendeu os fogos de artifício. As grandes lágrimas prateadas encheram os céus de Brasília. Ele próprio não entendia por que fora absolvido pelo STF.

"Como o próprio Sidney Sanches me absolveu?" Sua vida era um enigma para ele mesmo, a mãe-vegetal, o irmão com tumor, tudo parecia irreal. Foi quando um perfume o envolveu. Era Femme, e ele sentiu o corpo de Rosane se encostando nele. As lágrimas prateadas escorriam no céu e no rosto de Collor. "Que houve? Querem me enlouquecer? Me perdoam agora? Por quê?"

"Meu amor...", disse a voz aguda de Rosane, que tanto o irritava nas noites de gamão, mas que agora lhe soava doce. "Meu amor... você foi banido sim, mas isto foi 'política'. Existe uma coisa mais funda que nos penetra como um perfume, uma coisa maior que o *impeachment*, que tudo. Este perfume se evolou do STF e veio te abençoar!"

Collor estranhou o "tom sábio" da mulher. "Que houve com ela?", pensou. "Está falando..." "Meu bem... existe um fluido mais fino, invisível como éter, que os une para além da lei, da ética, da razão; é o mesmo óleo que ungiu os juízes que te perdoaram e no qual suas vidas foram fabricadas. Eles nadam neste líquido amniótico, nesta sopa da vida brasileira profunda. O mesmo leite primal que te amamentou foi o que deu a eles o diploma, a beca, a dignidade e depois a toga suprema do STF.

"Eles têm uma ideologia especial que nasceu dos fundos da Colônia, um brasão narcísico tecido de latim, de citações graves e carrancas severas, que usam durante anos como escudo para os arreglos jurídicos e chicanas em porta de cadeia. Depois, se refinam nos grandes macetes do cotidiano fiscal alucinado do Brasil, até que um dia se alçam a um olimpo de mármore de US$ 200 milhões e aí estão além da vida!"

Collor olhava espantado o "estalo inteligente" de Rosane.

Aos berros, os amigos agarram Vieira, que esperneia entre tesouras. Vieira estava cabeludo como um *hippie*. E os amigos resolveram tosá-lo. "Corta!", "Corta!", eram os gritos. Risos de garçons e copos quebrados. Vieira pulava como um sapo, enquanto seu rosto ganhava um "chanelzinho".

"Veja", continuou Rosane, "o fluido de que eu falava é da mesma safra que rega estes doces cafajestes imemoriais, são vinhos da mesma pipa ancestral e, naquela dignidade negra dos juízes, você encontrará a mesma uva que criou estes moleques.

"As capas negras escondem muito. Você já viu a decoração da sala do Sidney Sanches? Este fluido percorre o país; é o nosso caldo patrimonial. É a coisa-mãe, que faz nossa história imóvel há quatro séculos. Vai ser o maior obstáculo ao FHC. Você perdeu tudo, você é o nosso 'tiradentes-Hermès', mas uma coisa você não perdeu: este perfume do privilégio que nos banha."

"Mas por que PC pegou cana?"

"Ele é pardo. Já viu as barbas cerradas dos seus irmãos coragem? Na Colônia, eles serviam a mesa, abocanhavam cargos nos paços e lambiam borzeguins; para eles não há perdão. Nem para Rosinette, pobre fâmula cumprindo ordens. Você não. O *impeachment*, tudo bem, porque você foi pior que a encomenda, querido, desculpe, mas escancarou os vícios ancestrais, virou sociologia. Mas daí a botarem você fazendo tamanquinho na colônia agrícola com o PC? Nem pensar. Você pergunta por que te absolveram? Ora, eles se amparam na letra da lei, no olimpo dos códigos, no fundo negro dos *vade-mécuns*, no grande intestino que os liga desde Cícero, passando por Rui Barbosa até o negro bigodão do Evaristo!"

Gargalhadas ecoavam com Vieira imitando viado de cabelinho curto. Collor de boca aberta. Ao fundo, mais uma lágrima dourada caía no ar.

"O poder não se explica, amor. Os juízes sabem disso. Eles precisavam reafirmar uma ilógica para nos fazer perplexos. O que eles ganham com isso, debaixo de tanta porrada dos jornais? Ganham muito. Ganham mistério, inacessibilidade, negro adejar de asas, distância de nós mortais. Em seus olimpos vitalícios, eles gozam de uma mordomia maior: nossa palidez quando eles passam, nosso medo, nossa humilhação de ignorantes.

"Um monstro ameaça o Brasil, amor, sabe qual é? O monstro da Opinião Pública e, por incrível que pareça, você despertou este monstro.

Eles temem o monstro da Opinião Pública; não esta que esbraveja hoje nos jornais contra a absolvição. Eles não temem esta ira passageira. Eles temem esta coisa nova que surgiu no país, a que se dá o nome terrível de 'sociedade civil'. Isto eles temem, muitos outros temem, grandes fortunas temem; eles temem, pois a lei é o seu latifúndio. Você não leu Kafka?"

A taça caiu da mão de Collor, com o brilho de Rosane. "A opinião pública anda muito atiçada. É necessário reafirmar poder. É preciso calá-la nem que seja pelo não-entendimento. Estes juízes são apenas o pelotão etéreo da grande guerra que virá aí contra a modernização, um exército de elites agrárias e urbanas, xoguns de podres poderes, tudo se levantará contra o novo tempo. Fique tranqüilo, amor, você perdeu só o poder temporal; mas o poder imemorial que faz a vida doce e louca não perderemos nunca!"

Claudio Vieira vinha correndo, tropeçou e caiu no lago, de porre, gritando: "Cadê a grana para pagar a Operação Uruguai? Aha!... aha!" Collor, perplexo, viu Rosane retrucar: "Oxente! Vamos comer uma moqueca de siri mole que amanhã a gente pesca ele de *jet ski*!"

Aliviado, Collor viu que tudo voltara ao normal. Bebeu o champanhe e sorriu.

Oxímoros Clamam por Novas Palavras

Oxímoros. Na falta de palavras novas, usamos oxímoros hoje em dia.

Sabem o que são? O oxímoro é a figura de retórica mais útil no Brasil atual. Oxímoros são como bichos de duas cabeças, ou como centauros da sintaxe. Os oxímoros são o recurso em que palavras contraditórias se unem para chegar a um terceiro sentido. Assim como fez Almeida Garret com "silêncio eloqüente" ou Cecilia Meireles com "inocente culpa" ou mesmo eu, pobre de mim, que já sou um oxímoro vivo, ambivalente, torturado entre eu e mim mesmo.

Mas, por que esta súbita necessidade de oxímoros? É que hoje os fatos estão superando as interpretações. Não há palavras que dêem conta das novas coisas. O mundo aboliu certezas. As palavras novas gemem por existir. Seriam "pa-larvas", girinos de gias verbais? Perdoem meu baixo Joyce.

Sempre achei que Joyce enlouqueceu ao escrever o *Finnegans Wake*. O bicho pirou nos trocadilhos. Mas hoje, onde está você, Joyce, agora que precisamos de "pa-larvas"(!) para descrever o Brasil? Sim; entre casulo

e borboleta (palavras-crisálidas?), temos de usar outros termos para descrever a loucura que nos tomou.

O lema do atual governo, por exemplo, já é um oxímoro.

FHC pretende realizar uma "utopia possível". Utopia é um lugar que sempre está mais além, um movente chão. FHC quer uma cruza entre o delírio português messiânico e o duro realismo americano. Estamos tentando injetar método em nossa loucura. Teremos o quê? Uma desesperança otimista ou esperança sem saída? Gramsci falava em pessimismo-otimista. Ele já era um homem-oxímoro, falando de liberdade dentro da prisão.

Que outra palavra para nomear a idéia atual de "felicidade"? Ser feliz hoje é excluir o mundo em torno, como grades em edifícios de luxo. Ser feliz é pelo "não". Hoje no Brasil é "não" ver a miséria, "não" se preocupar com o país, "não" acreditar em nada.

Felicidade = alienação. Que nome para este lusco-fusco que seria uma boa vida brasileira? "Triste alegria"? Ou "alegre sofrimento?" Ser feliz: nada ver, nada ouvir. Ouvidos moucos, antolhos, visão seletiva. Neofelicidade? Ou in-feliz-cidade?

A miséria foi útil. Diante dela, tínhamos a vantagem da compaixão. Gostávamos de ter pena dos infelizes. Hoje, diante da solução impossível, nossa compaixão virou raiva, com leves tintas de pena. Ficamos humilhados por nossa impotência. O pobre virou um estraga-prazeres. Como chamar o sentimento de tédio e medo diante de um menino de rua na janela do carro? "Compaixão" virou coisa antiga.

Ódio e pena? Contrapaixão? Antiamor?

Que nome daremos ao desejo de extermínio que começa a brotar nos cérebros? Exterminar bandidos, exterminar excluídos, exterminar superpopulação? Quantas vezes desejamos que os miseráveis desencarnassem, virassem luz, como no "Brejo da Cruz" do Chico Buarque? Que nome daremos à razão exterminadora que se organiza? "África *addio*"? "New Auschwitz", "Hello Treblinka?"

Que oxímoro para a paralisia do político brasileiro que vai muito além do conservadorismo, do desejo do fixo? Que nome dar a este melaço da alma que odeia as reformas e o novo? O Amazonino, por exemplo, é reacionário. Mas, que medula, que linfa ancestral o energiza, que visgo brasileiro é esse que anima os empatadores do progresso? É uma pasta feita de egoísmo, preguiça, escravismo colonial que alimenta os pés dessa direita. Que nome dar? A gosma do Mesmo?

Como chamar o sanduíche misto do público e privado no Brasil? Não há mais a divisão tradicional, casa-rua, privado e público. O público e privado estão imbricados num DNA em espiral, uma espiroqueta pálida que faz a História andar em círculos viciosos. Ex: o rancor de um policial humilhado por Julio Cesar, chefe do cerimonial de FHC durante a campanha, leva-o a grampear o telefone do diplomata, levando à demissão o único cara que tocava bem a reforma agrária e acaba impedindo o sistema de radares na Amazônia, grilando o Clinton e permitindo que vários corruptos se lavassem denunciando a corrupção, ganhando o título novo de "pós-ladrões"? Como nomear este filme? "Operação Manaus" ou "Como era boa a minha Zona Franca"?

Como nomear a simbiose entre mídia e política? A notícia cobre os fatos ou os fatos obedecem ao desejo de notícia? O que é imprensa e o que é História? O que é virtual e real nesta terra? *Media-politics*? Polimídia? Poli-show? Daí surge a política-balé, um tipo de dança que finge governar. O poder não tem mais poder diante das coisas. Mas é preciso manter as aparências. A política como teatro. *Dancing days*: Corpo de baile do Congresso? Malabaristas do Executivo?

Como nomear, digamos, o sexo? Neo-sexo? O sexo vestiu camisa. Na hora do amor, pensamos na morte. Na hora da nudez, usamos o terrível capote inglês, que cria o medo na hora da alegria.

Amor-medo? Camisa-de-vênus protegia contra o excesso de vida. Hoje, como chamá-la? A camisinha de Nêmesis, camisa de Tanatos? Diante da resistência à mudança social, na *intelligentsia*, nascem tipos novos: o gênio inútil e o neocretino. O gênio inútil sabe tudo e não consegue fazer nada. O neoboçal não sabe nada e age mais. E os novos tipos políticos? Neoliberal, velho radical. Neoconservador, progressista-reacionário, direita esquerdista e esquerdismo de direita?

E o nojo-amor? Em política de alianças, temos frente única PFL-PSDB, PT-evangélicos, temos o nojo-amor, uma união de contrários que "*hurlent de se trouver ensemble*" (sempre quis usar este galicismo: coisas que uivam por estarem juntas).

E como nomear a aula de pragmatismo que a miséria armada nos dá? A miséria reformando a sentimentalidade branca? O Comando Vermelho ensina a rude cara da verdade, enquanto a burguesia se gasta em lágrimas e os intelectuais acreditam em símbolos. Seria o quê? Crime de vanguarda, neocrime, lúmpen-práxis?

Que nome daremos a este grande bucho informe que a miséria cria nas periferias? Não são mais favelas. Anticidades? Como chamar esta nova língua, nova ética, este novo "bem" no mal? Não é o proletariado; é o Cristo da miséria vindo ao mundo? Como? Anti-Messias? É uma "razão" que a loucura produz, os restos que sobram do não. É uma novilíngua feita de grunhidos, afasia, novos sentidos de uma miséria desconhecida. Há um outro país da fome eterna, como um grande uivo ilógico que está além da piedade, do bom senso, invencível por qualquer progresso? Seria o quê? O Bucho? A Coisa?

E neste ano novo? Seremos todos livres-prisioneiros, inocentes-criminosos, tristes-palhaços, ridículos-indivíduos, detritos de *big-bang*? Somos cada vez mais oxímoros.

Divine Brown Conta Tudo Sobre Grant

A mídia celebrou o escândalo do bom moço Hugh Grant caindo na sacanagem da madrugada de Hollywood com a doce piranha Divine Brown. Eis aqui seu depoimento imaginário.

Eu não reconheci ele não. Eu estava parada ali na Sunset Strip e estava usando o meu paletó de oncinha artificial, porque pele real eu não uso. Isso não é correto politicamente. Não sou uma piranha comum. Sou uma afro-americana que exerce o direito natural de vender o sexo a terceiros.

Eu sou a Divine Brown Inc. Eu sou a empresa de mim mesma, eu vendo ilusões. Procuram-se prostitutas pelas mesmas razões por que se vai ao cinema: em busca de ilusão! Eu vendo ilusões; sou exatamente igual à Columbia Pictures; eu sou a produtora de meus próprios filmes. Só que eu faço filmes realistas, insuportáveis para Hollywood.

Não reconheci quando ele, o Hugh Grant, parou e eu entrei no carro dele. Ele estava meio de porre, suava muito, e eu senti que ele precisava de ajuda.

"O que está errado com você, meu bom e velho urso?" (as frases em inglês estão traduzidas ao pé da letra) "Como é o teu nome, bebê?", arfou ele, com uma garrafa de gim na mão. Bonito, ele. Achei ele *cute* e

perguntei se ele queira a coisa inteira (*the whole thing*) ou apenas um "serviço de sopro" (*blow job*). Depois na polícia escreveram *felatio*.

Ele começou a chorar e a dizer que não agüentava mais: *I can't take it any more!*, dizia. "O que, quer *crack*?" Não. Ele disse que era inglês e que, como todo inglês, tinha vida dupla, que ele não agüentava a caretice americana e que ele usava até *lingerie* debaixo da roupa e disse que precisava se banhar na "ignomínia". A "ignomínia" era eu.

Vi que ele queria mais que sexo. Ele me disse que tinha uma mulher branca linda e que ele tinha tudo que queria. Eu perguntei: "Então por que você precisa de mim?" "Eu preciso de você porque sou branco e bonzinho, preciso me sentir mais real!", berrou.

E aí eu fui contando para ele como era minha vida no gueto, e ele foi ficando feliz, e eu fui virando um filme para ele. Ele pediu minha vida real e eu obedeci e até fingi que ele era um namorado meu que foi morto pelos tiras, um crioulo legal, Jockstrap Joe, a polícia acabou com ele naquele último *riot*, e eu tive de reconhecer ele no necrotério, com aquele papelzinho no dedo do pé, todo ensangüentado, e eu fiquei de bico calado porque ninguém viu os policiais batendo.

E ele (Hugh) fingia que era o meu crioulo, deitado no banco do carro, e ele me fez chorar no colo dele, não foi difícil porque isso foi verdade, e aí eu continuei inventando tragédias de vida de crioulo mesmo, e ele já queria ir para a minha cama no gueto, e eu falei que não, que meus filhinhos iam acordar, e ele foi ficando alegre, dizendo que eu era a *deep truth* (verdade profunda), fazendo um trocadilho com aquele filme de sacanagem *Deep Throat,* ah, ah...

E eu fui até achando ele mais bonito, e aí foi que ele disse que era o Hugh Grant, ator e coisa e tal... e eu reconheci ele! Claro, eu tinha visto aquele filme! Mas na hora eu pensei logo foi no *Pretty Woman*, com a Julia Roberts e o Richard Gere, em que o galã se apaixona pela piranha e casa com ela! *God*, eu tinha amado aquele filme, não teve uma piranha em Sunset que não chorasse.

Todas estamos até hoje esperando um galã, e o Hugh Grant cai no meu colo chorando, e aí eu fui ficando doida, sonhadora, santo Deus, eu era a boa puta que ele ia levar para o Hotel Beverly Wilshire, que ia ter banho de loja em Rodeo Drive! Eu já me via andando pelo *hall* de mármore e fui ficando amarradona no cara mesmo.

Ele ia pedindo para eu contar as desgraças do gueto, e eu contava, mas quando eu falava, digamos, do maldito botequim do Kim "coreano" eu pensava era no restaurante do Wilshire e no champanhe com caviar. Eu perguntava do quarto dele, e ele me contava da bica de ouro, do tapete de veludo, e eu contava que no terremoto fiquei morando um ano debaixo do viaduto em San Fernando Valley.

E ele foi bebendo daquela garrafinha de gim e sacudia o carro todo e dizia que era o terremoto e me obrigou a fingir que eu era a enfermeira negra que ia cuidar de suas feridas no terremoto, e eu pensando que eu era a Julia Roberts, e ele foi ficando mais excitado e me obrigou a ir cantando um *rap* chamado "Fuck You Buster", e eu cantava o *rap* fazendo festa nele com as mãos, e ele ia me chamando de "*my love*".

Eu perguntava se ele ia me amar sempre, ele dizia que ia casar comigo e me chamava de "Black Cinderella", e eu chamava ele de negão da pizza, ele gritava que queria entregar pizza de patins no Harlem e ele então pediu para eu ensinar a ele o *rap* do "Fuck You Buster" e pediu também para eu fazer o "serviço de sopro" nele, e eu falei: "Olha, meu bom e velho amigo, ou bem eu faço o 'serviço de sopro' (*blow job*) ou bem eu canto o *rap*; é impossível fazer as duas coisas ao mesmo tempo!... aha... aha."

Ele riu e cantou o *rap* enquanto eu fazia meu trabalho pensando naquele vestido vermelho que a Julia usa na festa, e ele gritava: "Eu não gosto de brancas azedas, e aquela Elizabeth Hurley é uma chata do cacete!" (palavras dele) e disse que ele ia romper com ela e casar comigo e me chamava de flor da montanha, e eu dizia "*yes, yes, yes*!"

E ele balançava o carro pacas e dizia que era o terremoto, e eu chorava e trabalhava, e ele me chamava de Julia, e eu (desculpe minhas lágrimas, moço), mas eu estava tão feliz...

Foi quando a polícia chegou, e aqueles tiras foram logo me empurrando, e aí o senhor já sabe o que aconteceu. Para mim acabou ali. Eu tinha acordado de um sonho. Eu era a Julia Roberts e de repente eu tava entrando na porrada ali no Sunset Strip, e ele, Hugh Grant, fingiu que não era ele, o policial reconheceu, e ele disse: "Não, eu não sou eu!" ("*I am not me*!"), ele disse isso, e o policial me empurrando, eu fui ficando puta e gritei: "Ele é o Hugh sim, ele é o meu galã!"

E aí ele fingiu que não me conhecia e disse que eu tinha invadido o carro dele e falou: "Nunca vi essa mulher!" Como nunca viu? E quem te ensinou esse *rap*? E comecei a cantar o "Fuck You Buster", e o *cop* me deu outra porrada e me jogou no camburão.

Dentro do camburão ele foi chorando e dizendo que a carreira dele ia acabar, e eu fui consolando ele, fiquei com pena do bofe e, enquanto ele chorava no meu colo e pedia para eu dizer que tinha invadido o carro dele, eu pensava que nunca ia poder ser a estrela, porque eu não era afro-americana nada, eu era uma tremenda duma crioula e, se eu entrasse no Wilshire, era só para lavar banheiros.

E aí eu comecei a chorar alto, enquanto a sirene do carro levava a gente, e depois o que aconteceu na polícia o senhor sabe. Ele se arrependeu em público, enquanto eu lembrava dele imitando o meu negão morto.

Mas, então, estranho, eu fui ficando contente, orgulhosa de mim e, quando começaram a me fotografar na delegacia, eu fiz minha melhor cara e pensei: "Vou vender caro minha versão do fato, a versão do gueto!"

E eu fui ficando alegre, porque eu vi que eu tinha uma função nessa porra toda.

Eu vi que eu era o filme realista que Hollywood não faz. A história da minha vida acorda a América. Eu saquei que eu sou melhor do que ele, inclusive como cinema. Eu sou um filme de Spike Lee. Eu sou a grande Divine Brown, a nova estrela do gueto. Quem dá mais? Vocês querem a verdade? Eu sempre estarei aqui, nessa esquina da Sunset. O Hugh gamou. Um dia ele voltará para a sua querida Julia Roberts negra!...

Noiva de Hugh Grant Fala Novas Verdades

Imaginária discussão entre o casal mostra que o escândalo protagonizado pelo ator não foi moral, mas "mediático". Quem você pensa que é?, disse Elizabeth Hurley, "bela em sua ira", como escreveria um autor de best sellers *como Martin Amis.*

Meu amor... eu... — balbuciou Hugh Grant, como num livro de Harold Robbins.

— Cale-se! Quem fala aqui sou eu! — cortou ríspida Elizabeth, como Sidney Sheldon escreveria, a noiva branca do ator-escândalo.

Ela tropeçava pela sala, fugindo dos apelos de Hugh Grant, mas sempre consciente das objetivas dos fotógrafos de plantão em volta da casa. Corria pela sala, deixando pequenas brechas de imagem, através de vidraças, por frestas de porta, para que a imprensa fixasse instantes desfocados de sua intimidade.

O verdadeiro flagrante é posado, sabia-o Elizabeth, que nunca se esquecia da mídia.

— Vim pedir perdão — disse Hugh se ajoelhando numa cadeira, vendo um fotógrafo pendurado na árvore.

— Se você fosse o príncipe Charles, tudo bem, você podia até se apaixonar por um Tampax, se lembra? Ele falando com a amante no telefone: "Eu queria ser o fio que prende o teu Tampax!" Estas são perversões chiques,

aristocráticas; mas, negra e pobre, santo Deus, como explicar à sociedade que seu mito *clean* se refocilava na crioulada do gueto?

— Mas, hoje as classes sociais...

— Você acredita neste papo de que as classes sociais se dissolveram no mundo "globalizado"? Ah, ah, que as raças todas se unem no multiculturalismo? uh, uh... Só existe classe e raça, bonitão... Os neoliberais têm um trabalhão para ocultar este velho conflito de classes como coisa do passado e vem você ressuscitar este "fascínio pelos excluídos"... me poupe... "excluído" só é bom para se tirar fotos humanistas no Sudão e ganhar prêmio na *Photo*... *Give me a break*...

— Não é isso... a Divine...

— Não fala dela! E meu contrato de publicidade com a Estée Lauder, dos cosméticos? O presidente da companhia berrava hoje na reunião: "Cada vez que uma mulher for passar o creme hidratante, vai ver no espelho a cara da piranha preta! Prejuízo de milhões!" Viu que trepadinha cara você deu?

— Mas... eu...

— *Shut up*! Só fui salva porque o Sylvester... o diretor de marketing... você conhece... aquele fortão que joga *squash*... pois é... ele tem sido superlegal comigo... superlegal... pois ele me salvou porque inventou que 90% das mulheres são cornudas e que vão se identificar comigo nos anúncios... ele é um amor... o Sylvester, ele falou que eu fico linda triste... ai... ai... *my God*...

— Não chora, meu anjo...

— Não me chama de "meu anjo"!... — disse Elizabeth, evitando o carinho de Hugh, com gesto rápido, sincronizado com a câmera do fotógrafo escondido no jardim. Clique!

— Arrependa-se ao menos! — grita Elizabeth —, a mídia te olha, vai, faça gestos de humildade, chore, ajoelhe — dizia ela baixinho, enquanto corria.

Ouviam-se ao longe os cliques das máquinas, enquanto Hugh obedecia e fazia poses, quadros vivos, fixos gestos de angústia, clique, clique.

— Isso! Pode ser que você se salve... Eu já me salvei com a imagem de cornuda pura, de vítima sofredora, eles até se esqueceram dos meus seios, os mais belos peitos do Reino Unido, me disse o Sylvester... Estou condenada a fazer um tipo mais puritano. Para isso serve a maquiagem. Tudo é maquiagem, inclusive essa tristeza para a mídia...

Ninguém mais quer ser diferente. Todo mundo quer ser "normal". O herói hoje é "normal", entende? O Michael Jackson. Por que ele tem de negar que é viado? Para não ser diferente. Por isso a figura dele é cada vez mais robótica, mais boneco, igual a todo mundo, é preto, é branco, é homem, é mulher... Daí, tem de renegar os garotinhos que ele ama (Elizabeth ia ficando cada vez mais eloqüente, como uma peça de Albee).

Você veja a Naomi Campbell, a Claudia Schiffer, todo aquele desenho de elegância inatingível se une no infinito. Já se foi o tempo em que era bonito a diferença, a "bela transgressora", a violenta, a *vamp*.

Agora, somos todas iguais. Somos lindas e incomíveis, estamos além do tesão. Não somos iscas sexuais; somos conquistas gráficas, somos a ideologia do bom acabamento. Só imagem. Qual a diferença entre Linda Evangelista e um BMW? Os dois almejam uma perfeição de funcionamento. Bonito não é mais o "belo"; é o bem-acabado, o excludente dos defeitos. Bonito é o esquecimento...

— Mas... temos de lutar pela verdade! — gritou Hugh Grant como num filme do Cinema Novo.

— Verdade é o cacete! — disse Elizabeth como numa reunião do PMDB do Pará. — Verdade não existe! Existe é a imagem. Ela, a crioula sem-vergonha, estava no mundo da "verdade", seu gueto, sua vida pontuada de michês e esperma. Estava na verdade; você alçou-a ao mundo da imagem! Hoje ela é "imagem".

Você que era "imagem" decaiu para o triste mundo da verdade, com aquele retrato realista na delegacia. Você vivia com os cabelos num vento mágico, abraçado em mim, com aquele vestido decotado, seios enormes. Aquela nossa foto feliz, eterna, foi substituída pelo seu rosto em *flash*, esgazeado, parecendo retrato de morto. Nunca mais esquecerão seu rosto em cana.

Você, que era nosso herói *yuppie* dos anos 90, o herói "normal"! Ninguém mais quer saber de James Dean, Marlon Brando, esta raça de heróis raivosos. Hoje o herói ou é bonzinho ou violento, ou é o Van Damme ou é o Tom Cruise, com suas carinhas de burros, comportadinhos... estes são os novos heróis!... ah, ah... (lágrimas e cliques).

O realismo é hoje uma grande gafe. Nem a crioulada quer saber. Eles só querem esticar cabelo, se pintar de branco e cantar fingindo aquela raivinha babaca dos conjuntinhos de *rap*. Quem se lembra do Malcom X, dos Panteras Negras?

... O terrível flagrante foi seu rosto em 3x4. Pare de procurar a verdade, isso não existe. Verdade é coisa de pobre! Quanto mais "igual" você for, mais diferente você poderá ser. Quero que digam de mim: "Deus, como ela é lancinantemente bela em sua mesmice!" E é bem mais humano ser igual a todo mundo, não ser dono da sua liberdade. A verdadeira liberdade é esta: ser livre da liberdade! — falou Elizabeth como num texto de Baudrillard.

— Mas, e eu... que vou fazer? — chorou Hugh.

— Chora ali na janela; isto, passa a mão nos olhos, isto... (clique, clique), a TV deve ter pegado, isto... Agora, dá um soco no peitoril, soco de autopunição, arrependimento, tudo bem, ainda bem que você é homem, imagine se fosse eu que estivesse fazendo um *blow job* num negão de rua... *God*, seria uma loucura... ahhhh... inesquecível... Vamos lá, vamos sair...

Eles estão vindo com as câmeras; isso, vai chorando... bom... Eu faço a "abatida" e sem maquiagem... Minha maquiagem é a ausência dela!... ah!... ah!... Estou de cara triste, conformada, a cornuda mansa... Agora fala, vamos... os repórteres estão se estapeando. TV, jornais, fala!

— Eu estou muito arrependido... de ter sido fraco... e... peço perdão... e...

— Engasga!...

— Urrgghhh...

— Chora em silêncio agora... bonito... grande ator...

Monstro do Nhenhenhém Ataca Outra Vez

Sinecuras ideológicas e fisiológicas se unem em coro contra programa de reformas do governo Fernando Henrique.

Quem é você?", gritou o presidente.

"Sou o nhenhenhém!", respondeu a voz que vinha de uma névoa escura, do fundo do Alvorada, em forma de cobra mordendo o próprio rabo, em forma de círculo vicioso.

"É tarde da noite, não há ninguém, quem é você?", gritou o presidente, já com dor na coluna.

"O nhenhenhém!", respondeu a Coisa, girando como um ânus flutuante, girando como a espiral inflacionária.

"Eu já estava aqui muito antes de você nascer!"

"E o que você quer de mim?", perguntou FHC.

"De você, nada. Eu tenho uma missão secular. Eu cheguei com as caravelas que vinham e voltavam de nossa costa, eu sou o movimento dos donatários que só aportavam para explorar e partir, eu sou o eterno círculo vicioso de nossa história. Eu sou a voz que dá ilusão de mudança à nossa fome de paralisia!"

E a Coisa girava no ar, fazendo "nhem, nhem"...

"Eu tenho uma missão! Eu tenho de manter vivo um discurso que está aí há 500 anos, uma imensa frase abstrata, irreal, que embala nosso delírio e que começa com Pero Vaz, passa pelos porres dos degredados, pelos discursos dos senadores do Império, pelos políticos da República e vem desabar aqui até mesmo no populismo cristão de D. Paulo Evaristo Arns."

"Mas, meu Deus... só quero fazer reformas administrativas. É o óbvio necessário!... Ação em vez de palavras!"

"Você está declarando uma guerra inglória. O Brasil é o grande reino do nhenhenhém secular. São linguagens que se superpõem, de ideologias que se disputam e todas querem ser a única resposta. Todas abstratas, claro, todas odeiam qualquer teste prático."

FHC firmou os olhos na massa giratória feita de línguas vorazes, lábios viscosos, dentes fugazes. O ruído era um *mix* difuso de "Sabadão Sertanejo" com coros sacros, hinos proletários, torcidas de futebol, grunhidos de animais.

"Quer um exemplo?", continuou a voz. "Não adianta você dizer que não pode aumentar o salário mínimo porque quebra o país. Não adianta. Eu não deixo eles ouvirem. Eu grito: nhem, nhem, nhem... Eu atrapalho a lógica. Não adianta você mostrar seu passado político, o do Serra, o do Malan, do Sérgio Motta, do Paulo Renato, nada disso interessa. Fundaram a AP, presos, exilados? Nada disso interessa.

"Decretei que você é 'neoliberal' e pronto. E quem defender vosso programa vira 'cooptado', 'reaça', o que for. Pra ser progressista, tem de atacar o governo — é tradição nacional. Todos chupam o Estado há 400 anos e vivem de atacá-lo. Mamam num seio e mordem o outro. Assim eles se sentem duplamente seguros: corporativos e revolucionários, corruptos e honestos, burros e inteligentes."

"Mas eu não sou neoliberal, eu sou a evolução de um pensamento reformista...", diz FHC.

"Eras; virou presidente, ficou 'de direita'. Nhem, nhem. 'Neoliberal'... Eu nem sei o que é isso, mas dane-se, o importante é a doce sensação de segurança depois do apelido, a tranqüilidade que me toma ao jogar a culpa em você."

"Mas eu quero dar um pouco de racionalidade..."

"Não repita esta palavra. Você está espremido entre os perigos de suas alianças e o desejo das esquerdas tradicionais. O que o grupo lingüístico PT-CUT mais deseja é que o ACM te destrua."

"Mas o país explode, se não reformar..."

"Dane-se o país! Quem disse que a gente não quer a tragédia? Quem disse que nossa alma aventureira não quer um crepúsculo de sangue, em vez da frieza administrativa dos saxões? Vocês são intelectuais, podem se dar ao luxo de pensar em termos de bem público e outras abstrações.

"Eu sou o nhenhenhém! Depois da tua eleição, depois do período Collor, depois de tanto sofrimento, eu achei que a cabeça do país tinha mudado, achei que iam dar um crédito de confiança ao novo, que haveria um desejo real de mudanças. Eu cheguei a fazer as malas para ir embora, mas logo me convocaram de volta. Aí eu vi que as esquerdas e direitas não tinham mudado nada. E me animei, e estou feliz de velar pelo eterno pântano nacional."

FHC partiu para cima do anel de fogo, mas um giro mais forte arremessou-o do outro lado do salão, derrubando a bandeira que lhe caiu em cima.

"Não adianta, presidente", girava a cobra, "eu não deixarei que se interrompa nosso erro ibérico ancestral. Eu sou a voz do Mesmo em nossa história fixa, eu sou o arcaico conservadorismo agrário, eu sou o irmão do Blablablá e o primo do Lero-lero, eu sou aquilo que transforma tudo que é público em privado.

"Eu sou o círculo vicioso. Eu não sou nem o povo nem a elite; sou a pasta essencial de que tudo é feito. Tenho a grandeza da vista curta, a

sabedoria dos porcos, das toupeiras, dos roedores. Tenho esta sabedoria, enquanto você se gasta em esperanças vãs.

"Eu não sou a mosca na tua sopa.

"Você pensa que a razão pode prevalecer neste país? Há forças muito mais poderosas que as ideologias, que os interesses.

"Eu sou a voz eterna, invencível, da maior força do país. Eu sou a voz da burrice nacional!"

Carmen foi do Getulismo ao Capitalismo

O filme Bananas Is My Business *chega no oportuno momento de nos alertar contra nossa ingenuidade.*

Eu estava diante da TV quando Carmen Miranda caiu. Eu era garoto e morava na Flórida. Era o show de Jimmy Durante. Muitos anos depois, eu revi a cena (ontem) no filme *Bananas Is My Business*, que estreou em São Paulo e no Rio. E ouvi o diálogo entre ela e Jimmy Durante. Carmen cai: "Oh... eu não consigo respirar..." Jimmy: "Não se preocupe, eu digo as falas." Carmen se recompõe pálida e sai dançando pela porta do palco. Suas mãos voando em círculos, sorrindo e rodando a saia brilhante, ela vai sumindo pela porta que Jimmy fecha com rosto tenso. E sai da vida.

O filme é precioso para nós que queremos entrar no "Primeiro Mundo". Helena Solberg e David Meyer redesenharam não só a ascensão e queda de Carmen Miranda mas também um retrato de nossa eterna fragilidade. É preciso assistir a *Bananas Is My Business* para ver quem somos nós. Ali, no tempo em volta de Carmen, estava se gestando o Brasil de hoje.

Como fica nítida nossa precariedade nos filmes antigos... Só existem oito minutos de cenas de Carmen filmadas no país. Não só os filmes eram mal preservados. Vemos mais que isso nas imagens precárias do nosso passado: a realidade era também trêmula e mal preservada, tudo era ingênuo e pobre, éramos atores "aquém" de nossa época. Vemos que aquele não era ainda nosso "presente". No passado estávamos no "passado". No passado, já éramos "de época". Eu olho os fragmentos de imagens antigas com a desesperada atenção de tentar entender o mistério do nosso destino. Copacabana, o Bando da Lua, as pobres camisas de malandro, os microfones *art déco*, a era do rádio, a reprodução tênue do som e da imagem, os desenhos de J. Carlos, os bigodinhos à Clark Gable, os chapéus, Getúlio, tudo dentro de um quadro acadêmico vazio. O que havia de errado conosco?

Vemos nos filmes americanos que os *yankees*, mesmo no passado, estavam em um "presente". As geladeiras eram brancas, os telefones pretos, usavam chapéus, mas era a mesma América de hoje. Os americanos sempre estiveram de acordo com sua época. Nós, não. Nas imagens do Brasil passado, parece que estávamos sempre atrasados para o progresso. Éramos uma mímica do que não éramos nós. Nos filmes antigos passa a sensação de que todos morreram sem conhecer os seus melhores dias. Mesmo os filmes de ficção são documentários de nossas carências, ali nos rostos dos atores. Pobre Copacabana, pobres cariocas desamparados diante do mundo.

Aí, surgiu a Carmen Miranda com seu riso, seu jeito. Ela era um futuro. Seus gestos faziam uma paródia do mundo em volta. Ela era mais inteligente que todos. Acho que ela intuiu a cultura de massas, ela, que já apontava na direção do que seria o Tropicalismo. Carmen ilumina as pistas de algo de nosso destino que se perdeu depois, podemos ver as pegadas dos passos que ainda iríamos dar. Havia ali o mistério de uma brasilidade clássica que foi sumindo.

Nesta época que vivemos hoje (como seremos vistos daqui a 50 anos? teremos o tremor daqueles fraquinhos de chapéu?), vemos este filme como um elo perdido. Está tudo ali. O "hoje" está ali. Americanos e franceses não sentem esta falta. Por sinal, as únicas imagens que temos em cores do Brasil dos anos 40 foram filmadas por Orson Welles. Só nos vemos pelos olhos dos outros.

Só os filmes americanos registraram a genialidade de Carmen. Neles, temos o Brasil por tabela, no *technicolor* dos anos 40.

Carmen chega à Broadway triunfante, seus gestos desenhando uma alegria matematicamente exata. Carmen usava o corpo como se ela fosse uma "outra" que cantasse. Carmen teve a idéia do travestimento, a idéia de ser uma fantasia de si mesma, de ser uma "outra". Carmen inventa a alegoria moderna viva. Quase *drag*. Daí seu fascínio atualíssimo. Daí os viados adorarem-na.

E o filme é um genial documentário sobre nossa situação colonial. Mostra a antropofagia de Carmen feita pelos americanos, de baixo para cima. É Hollywood sugando a luz dos trópicos como um antídoto anti-recessão de 30. Literalmente, jornais disseram: "Carmen Miranda anunciou o fim da Depressão!"

Logo depois do sucesso inicial, começa a luta entre a fragilidade latina e o prático senso de mercado dos *yankees*. Carmen chega (e nós, junto com ela) com a ingênua crença de que estava conquistando a América. Apenas Rockfeller tinha criado o Office for the Co-ordination of Interamerican Affairs. A única finalidade de toda aquela "boa vizinhança" era que os latinos não se aliassem a Hitler e que os produtos americanos tivessem mercado aqui.

Tivemos depois as Operações Pan-Americanas e temos hoje o grande cassino charmoso do neoliberalismo. E, como sempre, somos atraídos com a esperança de que nos aceitem por nossos "belos olhos". Sempre achamos que vamos pertencer ao baile do Primeiro Mundo mas, na hora H, fazemos o papel de empregada doméstica, garçom ou prostituta.

Sônia Braga foi dublada como porto-riquenha pelos gringos que compraram meu filme *Eu te Amo*. Rita Moreno teve seu último papel fazendo um *blow job* em Jack Nickolson, em *Carnal Knowledge*.

Carmen partiu encantada em ser uma utopia cordial e, aos poucos, foi sendo esmagada entre dois nacionalismos: o nosso, racista e invejoso, e o deles, racista e excludente.

Quando Carmen volta aqui, no fim de 1940, é recebida com terrível silêncio e ódio pela platéia aristocrática (*sic*) do Cassino da Urca. (Minhas tias diziam: "Ela é uma chapeleirazinha da Travessa do Comércio.") Nunca mais se recuperou. Aqui, samba era coisa de "morro". Rejeitaram-na, numa antevisão do racismo *wasp* que iria pintar depois, quando Bing Crosby a imitaria grotescamente (como Mickey Rooney e Jerry Lewis) cantando "Take Back Your Samba". A necessidade dos mercados latinos estava assegurada, já podiam abrir mão dela. Os EUA são o país mais nacionalista do mundo, não se enganem. Carmen Miranda, a alegria perfeita, foi sendo transformada pelos produtores num virago unissex, numa caricatura sinistra dela mesma. Foi rejeitada aqui como "americanizada" e deformada no Norte como uma reles "chicana" cômica.

Este filme não podia vir em hora melhor. Estamos na era da "boa vizinhança" do mercado global. Temos de tomar cuidado para não sermos cuspidos fora depois do almoço. Afinal, bananas continuam sendo nosso *business*.

Carmen saiu do getulismo e caiu no capitalismo. Exatamente como nós. Morreremos deste trauma?

Nelson Rodrigues Fala no Telefone Astral

Alô?

— Rapaz, você atendendo ao próprio telefone, como um contínuo de si mesmo? (Era o Nelson Rodrigues. De vez em quando, ele me telefona do céu pelo seu velho telefone preto de ebonite.)

— Que posso fazer, Nelson, não sou rico como você...

— Rico nada, rapaz, se você vir um sujeito tocando acordeom na rua do Ouvidor, pode dar esmola que sou eu...

(Todos nossos telefonemas começavam assim, quando ele era vivo. Continuamos com a tradição.)

— E aí, Nelson, como está aí em cima?...

— Estou caprichando... caprichando...

— Que que você está achando do Brasil?

— Rapaz, "o" Brasil não existe, "o" Brasil é uma ilusão... Que Brasil?

— Sei lá, o governo...

— Acho que o Fernando Henrique tem um perfil de medalha. Ele nasceu para ser a cara da coroa da moeda. Mas, acho que ele está em fremente lua-de-mel consigo mesmo...

— Como assim?

— Feito o Guimarães Rosa. Quando eu encontrava ele na rua, satisfeitíssimo consigo mesmo, eu dizia: "João, não seja tão Guimarães Rosa..." O Fernando Henrique está acreditando demais no próprio sorriso. Ele tem de inspirar medo também. Consciência política de brasileiro é medo da polícia. Você acha que o Maluf tem medo de quê? Só dos eleitores. Eles estão adorando chantagear o Fernando Henrique porque ele é intelectual. Eles têm uma inveja danada dele. Fernando tem de fazer como o Luís Eduardo Magalhães: mais severidade. Aliás, estou gostando deste rapaz. Achava que era filhinho do papai, mas não; é um homem. Sabe tratar com os pequenos canalhas. Se bem que há poesia nos pequenos canalhas e nos cretinos fundamentais. São brasileiros como o Saci-Pererê. Mas, com eles, só o medo funciona. São muito piores que os "inimigos" estrangeiros. O pequeno canalha é o cupim do Brasil.

— E o teatro, o que você está achando do teatro?

— Rapaz, não há mais dramaturgos no Brasil. Eles estão sendo exterminados a pauladas feito ratazanas grávidas. Se o sujeito diz que é dramaturgo, chamam logo o "rapa". Só existem os diretores. O diretor pode tudo. O dramaturgo vive amarrado ao pé da mesa, bebendo água na cuia de queijo Palmira. Já o diretor, anda de penacho e esporas de Dragão da Independência. Outro dia eu vi uma peça minha em que as pessoas ganiam, rolavam no chão com arranques de cachorro atropelado. Que acontece? As novas gerações pensam que eu sou ou um pornógrafo ou uma besta. O teatro virou uma missa leiga, em que o padre equilibra bolas no nariz como uma foca profissional. Hoje, só tem pecinha para caçar níqueis ou coisas "eruditas" demais, feitas por diretores que têm

uma profundidade que a formiga atravessa com água pelas canelas. É um caso sério.

— E a esquerda, Nelson?

— Estou com uma nostalgia brutal pela esquerda antiga. Que saudades do meu amigo Vianinha, que era um Byron da cabeça aos sapatos... Mesmo você, que participava de passeatas contra a fome chupando Chicabon. Tenho saudades do D. Helder, apesar dos pés de bode que a batina roxa escondia. Ele era muito melhor que este Von Helder que chutou a santa. A esquerda está no tempo do Olavo Bilac. Adoro o PC do B. Parece uma igreja. O PC do B está iluminado de fé. É lindo, me lembra uma tenda espírita, em que o Stalin baixa às vezes com a vozinha fina de caboclo infantil. Mas, gosto muito do João Amazonas; parece um santo de vitral varado de luz. Gosto também da coisa dramática e desengonçada da Jandira Feghalli; ela daria uma boa atriz para *A Falecida*. Já o PT... tenho pena do Lula... tão inteligente, prisioneiro dos cretinos fundamentais. Você sabe que hoje em dia, se um cretino fundamental sobe num caixote de querosene Jacaré, na mesma hora aparecem milhares de cretinos para ouvi-lo. Antigamente, o cretino se escondia pelos cantos. Hoje, andam de fronte alta.

— E os sem-terra?

— Taí. Gosto dos sem-terra. Tem canalhas no meio, mas eles são tão bonitos... Parecem camponeses do *Angelus de Millet*, devem ter alguma razão. Só que aquele Stedile quer chupar a carótida da burguesia. Ele é mais antigo que o Stalin.

Mas, rapaz, estou triste é com o Rio. Outro dia fui tomar um cafezinho bem carioquinha ali perto na rua de Santana, e vi que o Rio perdeu o cafajeste poético. Nossos vagabundos, nossos malandros perderam o halo de luz. Estão tristes. O carioca lírico desapareceu... O Rio era um feriado. O Rio era um sábado. Hoje, todo mundo correndo de medo...

— E o futebol?

— Entro em cava depressão quando vejo o nome da Hyundai, rapaz, marca de carro coreano no peito dos jogadores do Fluminense. Não me conformo com estas camisas sagradas sendo usadas para propaganda: Kalunga, Lubrax, que coisa triste... O futebol não é reclame. Tenho vontade de sentar no meio-fio e chorar lágrimas de esguicho... Mas, pelo menos, há uma beleza nos jovens jogadores da seleção. A bola os segue como uma cachorrinha fiel segue o dono.

— E a literatura, Nelson?

— Rapaz, o que estraga a literatura brasileira é que nenhum escritor sabe bater um escanteio. É isso. Todo mundo quer ser genial. O único livro genial que eu li ultimamente aí foi *Os Desvalidos* do Francisco Dantas, um sergipano. É um Rosa sem máscara, um Graciliano afetivo. Ninguém fala nele. O José Lino Grünewald devia ler.

— E a pós-modernidade...?

— Que é isso?

— É... sei lá... é o fim das utopias... a falta de esperança...

— Ihh... rapaz... o mundo sempre foi pós-moderno. Este negócio de esperança é uma invenção de intelectual francês. Tudo sempre foi ilusão. Nunca houve esperança. Vocês deviam se abaixar e beber na sarjeta da pós-modernidade... A desesperança é a salvação dos intelectuais. Você veja o Marx. Ele era genial onde ninguém achava. Marx dava uma importância danada aos botequins e aos bifes da Alemanha. E quiseram fazer dele o deus da esperança. Que nada, Marx sempre foi pós-moderno...

— Poxa, Nelson, você está muito deprimido... nem aí no céu...

— Que nada, rapaz. Estou achando o Brasil ótimo, justamente porque perdeu as ilusões. Agora é que vai ficar bom. O brasileiro estava precisando perder a pose. Nos últimos anos, caiu nossa máscara. Mas, agora está na hora de gostar de si mesmo de novo. O brasileiro odeia a própria

imagem como um narciso às avessas. Ele quer ser americano, húngaro, o diabo. O brasileiro só se moderniza se assumir a própria miséria, a própria cara. Se o brasileiro assumir a própria cara ele vira um rei, de coroa e cetro, tropeçando no manto de arminho.

É isso aí...

— Você telefona quando, Nelson?

— Sempre que você começar a escrever coisas metidas a profundas, eu telefono. Assuma sua ignorância, sua cretinice de brasileiro. Não seja inteligente, rapaz; seja burro, seja burro. É a sua salvação!

— Obrigado, Nelson.

Eu sou um Leãozinho que Ainda não Morde

Tenho quatro anos de idade e estou na altura dos escapamentos dos carros. Sou um menino-mendigo, um menino "excluído", como dizem agora. O termo "excluído" é mais higiênico, provoca menos culpa. Sou, portanto, um menino excluído. Ando até meio excluído dos noticiários. Bons tempos, os dos massacres, quando eu virei notícia, fonte de horror. Agora, a mídia se acostumou.

Ironicamente, meu ponto de vista do mundo é privilegiado. Tenho uma imensa liberdade: tudo é meu na cidade e, ao mesmo tempo, não é. Como não estou em lugar nenhum, vejo tudo. Como não existo socialmente, sou um par de olhos sem corpo, uma espécie de turista nativo (ahh ahh, ironia de novo), num mundo que não habito.

Minha vida é um grande *playground*, onde eu só posso brincar "de fora": fora da vitrine, da loja, da padaria. A vitrine é o lugar das coisas que eu não posso ter.

Não estou na paisagem. Sou apenas um contraponto que reafirma a vida real dos outros. De algum modo, sou útil. Nem sei que sou infeliz.

Para mim, minha vida é normal. Os outros é que se sentem anormais na minha presença. Eu não tenho pena de mim mesmo; por isso, os outros ficam tão culpados.

Minha liberdade é em *cinemascope*, 360 graus: os outros vêem em monóculos. O filme é todo meu, só que eu não posso entrar na tela. Eu assisto a um filme dentro da ação, só que não consto do elenco...

As pessoas preferiam que eu não existisse. Percebo isso com encanto, quando sou expulso de uma loja, ou quando ignoram minha presença. Eu percebo que estrago a festa. Eu sou o Outro total, o Outro completo, tão "outro", que não posso ser visto. Não tenho espelho, nada me reflete.

Mas eu inquieto. Por quê? Porque a infância é para todos o paraíso das recordações doces. "Ahh, a aurora da minha vida", dizem todos. Eu estrago a aurora das vidas. Sou um ruído em Proust.

Às vezes, se abre um buraco de luz onde ando. Quando há uma família com filhinhos, papai e mamãe na porta da padaria, vou andando e fico bem perto deles. É uma maneira de ter uma família, só que "de fora". Sou um antiirmãozinho. Os filhos me olham, espantados. Os pais, então, têm de "explicar" minha existência aos filhos.

Explicam por que eles não são como "eu", que é a versão social sobre mim. Ou então, por que eu não sou como "eles", o que seria o discurso político. Mas, em geral, os pais se afastam, pálidos. Eu sou um panfleto pós-utópico, sem esperança.

Percebo também que, como sou pequeno, fraquinho, sou uma espécie de antineném. Algumas mulheres têm vontade de me abraçar, me botar no colo. Mas não têm coragem. Eu crio nelas a crise de quererem beijar alguém que lhes dá medo, ou que dará.

Por enquanto, eu sou um leãozinho que ainda não morde. Além disso, já pensaram nas conseqüências políticas desse gesto? Tudo começaria no beijo e criaria uma cadeia de implicações que ameaçaria a ordem social.

Como não me vêem, eu só vejo o que ninguém quer ver. Vejo uma sociedade sem futuro ou passado, só um presente enorme, sem tempo.

Eu tenho a cultura dos detritos, os fragmentos do meio-fio, a fome dos ratos, o medo dos pés que passam à minha altura; mas tudo isso sem nenhuma visão crítica, como teria um filósofo da USP. Não tenho projetos ou opções. Melhor dizendo, tenho; mas são projetos claros: "mais tarde é a hora de o português despejar o lixo da lanchonete" ou "quem roubou minha latinha?".

Eu diria que sou um "pragmático". Um materialista, não-dialético. Nem quero entrar na sociedade de vocês, tampouco. Tenho minha própria ordem. Conheço os bueiros quentes e os frios, os mendigos legais e os não, os grandes ovos podres, os *humpty-dumpties* sujos das ruas, os viados assassinados, as regras do jogo da morte e da vida. Eu sou vivido, do alto dos meus quatro anos.

Eu sou vanguarda. Eu não tenho muito a aprender com vocês. Vocês têm a aprender comigo. Sem contar a lição existencial que dou: a solidão, a convivência com o não-sentido, sentimento do absurdo da vida, do nada e do ser.

O proletário foi o herói moderno. Eu, o lúmpen, sou o herói pós-utópico. A partir do meu nada, podem recomeçar a pensar, como eu penso.

Tenho muito a ensinar: esperança zero, o uso intensivo das parcialidades (trapos velhos, restos de pão, lixo da lanchonete). Ensino uma lógica a-histórica. Ensino a arte de viver nas frestas do mercado (ou das feiras). Ensino a arte de aproveitar cada migalha de vida, cada nicho de rua. Ensino economia informal.

Ensino o aproveitamento dos desperdícios, a diminuição do "custo Brasil". Eu sobrevivo com pouco, eu sou uma microempresa.

Eu sou cultura brasileira também.

O Brasil tem muito a aprender comigo.

Buzunga Caiu em Depressão Profunda

Quebra do Banco Econômico mostra que há injustiça social até mesmo no mundo dos bandidos.

CENA 1
BARRACO. FAVELA DO PAVÃOZINHO

"Sai dessa, cara!", disse Pereba.

"Não dá... a vida não tem sentido...", gemeu Buzunga na cama do barraco.

"Como, não tem?", falou Pereba atônito. "O assalto é às quatro! Tá todo mundo esperando... o Tulé, o Betão, o filho da Neuza vai ser chofer, o guarda do banco tá conosco... tu é o chefe!..."

"Que chefe nada... somos uns bostas... tô na maior deprê, *brother*..."

"Cheira uma...", sugeriu Pereba.

"Não adianta... cara... hoje eu ganhei a consciência de que nós somos um bando de desgraçados, analfabetos. Tu... tu estudou?"

"Fiz o Ciep... enquanto teve merenda..."

"Pois é... ficou claro para mim: nós pensamos que somos gente, que somos o Rambo e coisa e tal, a gente acha que está por cima da miséria, da favela, e o cacete a quatro... e de repente... baixa a consciência de que não somos nada..."

"Como, 'nada'? Tu é o Buzungão! Assaltou quantos supermercados, quantos bancos?"

"Qual foi nosso lucro até hoje?"

"Sei lá... no Itaú, deu pra tirar uns cinqüentinha..."

"Isso era a sacola do guarneco que me deu o tiro... Isso é mixaria... Tu tá por fora... muito ignorante... qual é a diferença entre roubar um banco e fundar um banco?"

"Não sei", disse Pereba, impressionado com o chefe. "Mas, tu é o Buzung..."

"Cala a boca! Olha aí! Sai da frente da TV! Viu? Olha ele aí de novo, o dono do Banco Econômico! Tu já foi entrevistado, Pereba babaca? Tu não foi nada... Tu só foi entrevistado foi lá na 9ª DP, debaixo de porrada pelos homens... Veja a diferença... Que beleza... Olha os cabelos negros de tintura, olha a perfeição do implante do cabelo dele, viu? Mesmo na dor, vemos que ele se ama, cuida da aparência... Isto é o presidente de um banco! Olha como ele enfrenta o repórter com galhardia... Olha como as palavras lhe saem fluidas... não é este gaguejo torpe meu ou teu! 'Buzunga'... Isso é nome? 'Pereba'... Ele, não: 'Calmon...'. Ouve o som da palavra... parece remédio para dormir... viu? Ele disse que não dorme de noite... nem com bolinha... está nervoso... Viu, como lhe fica bem a pose de culpado e insone? Ele afeta estar preocupado com os pobres que sofrem por causa da 'bruta' intervenção no seu banco... Viu seu rosto de preocupação social?... Viu como ele é belo e emociona pela sobriedade da camisa e da gravata?... Eu tenho gravata?... Tu tem? Ouve a música da voz de um homem de bem... ouça como os termos soam 'técnicos e puros'. Viu o que ele falou? 'Meu filho sacou 250 mil reais para honrar compromissos contratuais'... Viu? Alguém pode culpar um homem desses?

Imagina se eu digo ao guarda que me baleou por causa dos 50 mil, que era para 'honrar compromissos contratuais'... Que homem lindo... Eu não sou viado, tu sabe... Mas ele deve ter amantes louras... Olha os gestos dignos... Chego mesmo a ver um tremor de orgulho nesta dor que ele ostenta sentir... Vejo nele até uma volúpia por ser acusado, sabendo que sua elegância o salvará, sabendo que os melhores advogados o esperam na ante-sala, sabendo que é doce sofrer num jatinho, chorar num porre de champanhe com a amante na suíte imperial do Salvador Crazy Love... Ele sabe que está salvo... Já foi ministro, é de família antiga, é da imemorial fazenda escravista que é a Bahia. Está protegido contra a prisão mais dura... Sabe que faz parte de um mundo inatacável, e que logo será esquecido pelos jornais... Quem se lembra de Lupion, de Ademar? Quem vai encanar os quercistas que quebraram o Banespa? Ninguém. Tudo vai se dissolver no ar em uma debandada de perfumes, como disse Rimbaud!"

"Onde tu aprendeu isso, Buzunga?", gemeu Pereba.

"No Ciep intemporal, na Universidade do Crime Poético!... Que dor sinto na alma!... Olha, olha lá o gabinete dele; o mundo pode acabar, mas aqueles lambris de mogno resistirão... Viu? Viu que frase linda ele disse agora? 'Acho natural que um diretor de banco saque antes da intervenção...' Ele está certo!... É natural mesmo, dá-lhe meu príncipe! Viu agora? Ele disse que o patrimônio dele é de 93 milhões de dólares... Veja como soou bem a palavra 'patrimônio', como é linda... Qual é teu 'patrimônio', Pereba? Este barraco de merda aqui? Quanto ele terá mandado para as ilhas Cayman?...Tu sabe onde é, babaca? Não é em Belfort Roxo não; tem praias, mulheres, um paraíso fiscal, não é a praia de Maria Angu não...

"Olha o que ele disse agora: 'Mas... tenho dívidas!'... Quem as tem? Ele ou a pessoa jurídica? Bela esta divisão do homem em 'física e jurídica'! O cara é limpo fisicamente, suave, *gentleman*, mas como 'pessoa jurídica', bem... aí... Já pensou, Perebão (Buzunga se anima), já pensou em assaltar o Citibank e dizer: 'Quem assaltou não fui eu; foi a Buzunga Empreendimentos Armados Ltda., com sede em Barbados', hein?! Que chique, hein 'seu' Pereba, isso é que é!!! Buzunga Ltda. saca antes!!! Ah!... Ah! ahhh... Não repara minhas lágrimas não, Pereba, mas eu queria ter estudado, minha mãe se matou no Mangue pra eu estudar... Eu queria ser diretor de banco voando no meu jatinho para as Bahamas... e não este pobre pardo que eu sou... Olha aqui na revista quanto sacaram: Um milhão, trezentos, cem... e tudo 'virtual', no papel, a secretária gostosa de saia justa rebolando no fax... ar-condicionado: '1,3 milhão sai da conta do doutor e vai para a conta azul número tal'. Tudo sem barulho, sem sirene, sem bala... tudo limpinho... na fibra ótica... Não, Perebão, eu não vou ao assalto... tô na maior depressão...

"Cheira uma... por favor, vamos!" Buzunga hesitou. Mas reagiu:

"Tá legal... Eu vou porque combinei com a turma... Mas não quero pó não... pega ali na sacola da farmácia um Prozac... Tá bom... Vamos lá pro banco! Última vez, hein!"

CENA 2
AGÊNCIA DE BANCO

Buzunga e a gangue invadem o saguão de um banco. Buzunga grita: "Todo mundo no chão! Isto não é um assalto; é uma intervenção!" Um segurança atira em Buzunga. O pobre bandido cai numa poça de sangue. Os outros fogem. Seu corpo no mármore treme no delírio da agonia. Buzunga sonha que está num jatinho, indo para as ilhas Cayman.

Ele sorri na morte. É feliz.

Caruaru Mostra que Miséria é Mercado

Em abril de 96, morreram 66 pessoas na clínica de hemodiálise de Caruaru. Descobriu-se que ninguém é culpado, num inquérito que beira a chanchada negra. Assim: "Agora chega! O senhor tem que me ouvir! Pensa que eu sou moleque?"

Dr. Evangelista, o ex-chefe de uma clínica de hemodiálise de Caruaru, o ex-neurologista acusado de ocultar torturas na década de 70, o doutor *honoris causa* pela Faculdade de Petrolina, parou a entrevista, arrancou o gravador de minhas mãos e sapateou-lhe em cima como uma bailarina espanhola.

Eu, pobre repórter, me encolhi num canto, olhado por seguranças-jagunços. Vi naquela ira santa a certeza fanática que era uma forma de razão. Calei-me, eu que acusara este diretor de corrupção e desleixo, pela nova leva de 50 mortos.

Antes que o Dr. Evangelista despejasse em mim todo o seu ódio, o outro entrevistado ali na sala, que eu também atacara no jornal, o acusado de vender órgãos humanos, o Presunto, ex-alcagüete e ex-chefe do Serviço de Armazenagem de Corpos do IML, atacou-me também:

— Só não lhe dou um tiro na cara porque tenho uma filha. Noiva. Uma filha noiva!

(Minha reportagem tinha provocado a demissão dos dois.)

— É tiro mesmo que estes jornalistas merecem — fez dueto o Dr. Evangelista. — Vocês ficam com esse lero-lero humanista, mas não sabem o que é ganhar a vida "dentro" do Brasil real.

Como é que o senhor quer que haja hemodiálise perfeita no coração da miséria? (Eu olhava o gravador esmagado e os jagunços.) Isto aqui é uma guerra suja, meu amigo, uma guerra feita de trapos, de fezes. Veja a cara da população aqui do Nordeste; é claro que em meio a estes jegues, a estes sacos de farinha, é claro que as máquinas de hemodiálise alemãs ficam *dépaysées*, ficam "fora do lugar"... (Deus, aquilo era mais que uma reportagem, era a "moral da imoralidade".)

As máquinas chegam brilhando, novinhas, mas, aos poucos, a mão invisível do erro começa a poluí-las. O governador disse que a culpa é minha pelos 50 mortos. Eu digo que a culpa é da Companhia Pernambucana de Saneamento, que nos manda água suja.

A verdade, seu babaca, é que a culpa é bem distribuída. Há, aqui no Nordeste, a lógica da morte. Vocês no Sul podem ficar neste faniquito do "que horror!"... Aqui não temos estes luxos. Aqui, morte é mercado, meu amigo. Quem não mata, não vive!... (Eu tentava gravar cada frase na cabeça.)

— Ah, ah... — gemeu o "Presunto", o contrabandista de órgãos. — É isso aí, doutor Evangelista, faço das suas palavras as minhas...

— Quem não mata, não vive! — continuou o médico, sem olhá-lo. — Meu amigo, na circulação de mercadorias da morte, entenda bem, se eu ficar com frescura, estou morto também... É feito o sujeito resolver ser a favor da vida, dentro da guerra... Ou o fuzilam como desertor ou é chamado de viado...

Aqui é igual. O SUS, veja, me deu 1.800.000 reais estes meses. Grana legal. Eu sou a clínica privada. Qual meu lucro? Quanto menos qualidade, mais lucro, sacou? O SUS nos dá lucro pela "menos-valia", uma nova

figura econômica... ah... ah... Quanto pior o serviço, melhor. Já pensou, agüinha filtrada, tudo brilhando para aqueles miseráveis verdes de mijo que vão morrer mesmo?

Eu não sou filtro de pobre! Vou lhe dizer uma coisa profunda, meu amigo, eu estudei, estudei... E, apesar da besta do meu sogro me chamar de "incapaz", vou lhe dizer: Vocês, "homens de bem", não estão aparelhados. Hoje, os fatos vão além das interpretações... Vem pra cá, vem para a latrina moral em que eu vivo! Ah, ah... (O homem dava patadas no chão, explodindo de gozo em sua ignomínia.)

"Presunto", o legista, atacou, eufórico:

— É isto aí, doutor! Sabe quanto está custando um fígado, meu chapa? (Eu olhava em lágrimas meu gravador.) Um fígado legal, não fígado de biriteiro, um fígado de bacana atropelado? 300 dólares, ali na hora, quentinho na mão. Dá pra dispensar? E o leite das crianças? Vá se danar, cara.

E um bom rim? Rim do Sul, nada de rim de Caruaru! (Ele riu para o doutor, que olhou duro.) Pois um rim jóia custa até mil dólares. E aí? Vou ficar olhando aqueles "corpinhos" ali na mesa dando sopa? Nem pensar... É melhor que tirar rim de criança raptada. Tudo bem, não tenho nada contra; feito com classe, tudo bem, baixinho bobeou, pega, tira um rinzinho e devolve para a mãe.

Mas eu prefiro cadáver fresco. Tenho filhos também, coisa e tal, e uma filha noiva! E aqui não é mole não; só tem doente. A margem de acerto é de um para cada quatro órgãos retirados. País "sub" é fogo; é o Brasil, que se vai fazer? E o senhor já viu um necrotério? Já fez plantão em dia de desastre? Vale a pena...

Virou um ônibus na Dutra. Quem cuidava? O babaca aqui, que era "caxias". Sabe quanto ganha um legista de 1º grau? 500 reais. Não dá nem para o almoço. Levava marmita. Almoçava lá na mesa de dissecação... Necrotério já foi bom, meu amigo. Havia respeito. Necrotério é verba, meu amigo, verba. É fácil falar mal...

— Muito bem, Presunto — atalhou o Dr. Evangelista —, já há uma nova moral! O Presunto é um homem simples mas disse tudo. Miséria também é mercado, idiota! Com a globalização, só nos resta otimizar os restos da feira. Veja as Igrejas Universais... Vendem o quê? Miséria para os miseráveis! Esperança para os pobres. Só tem que "otimizar"! Miséria é poder! E os usineiros de álcool? Empregam trabalho escravo e conseguiram descolar mais subsídios para "não haver desemprego"...

Ah, ah... Eu arrebento de rir! Eles usam mão-de-obra escrava de índios guaranis-caiuás e garotinhos de 10 anos... E ganham subsídio... ah... ah... e a gente paga!

— E tem mais — voltou animado o Presunto —, agora vou te dar uma bomba, bomba! (Pisou no gravador de novo, para se garantir.) Mês que vem teremos o 1º Congresso de Comerciantes da Miséria. Para otimizar a circulação do mercado. Vai todo mundo. Lá estarão os cafetões de putinhas infantis, os escravistas de índios, os contrabandistas de órgãos (o Degas aqui), os empreiteiros de aleijados, os estrategistas de fraudes do INSS, os exportadores de nenês, todos. A Igreja do Edir vai emprestar a sede. Tema: otimização de resultados.

Exemplo: a putinha se gasta no Ceará, é exportada para Serra Pelada, depois pode ser bóia-fria, depois mulher "de ganho" pedindo esmolas e, quando morre, eu tiro os órgãos que ainda prestam, "xotinha" claro que não! Ah... ah... Tudo no computador, sob controle... É a racionalização da produção, meu amigo, comércio sem fronteiras, tudo numa espécie moderna de Mercomerda! Sacou? (Eu olhei com vergonha meu gravador moralista no chão. Evangelista e Pereba me olhavam do alto. Eles eram o novo Brasil. Baixei a vista. Eu era um pobre-diabo do passado.)

A Burrice Contemporânea É... Sei Lá, Mil Coisas...

A burrice é a mãe de todos os vícios. A burrice é anterior ao paraíso. A burrice é a marca da pós-modernidade. Mais além ou mais aquém das ideologias, existe a burrice. E a burrice brasileira ficou mais visível do que antes. Agora, nesta transição entre o "Não" e o "Sim", entre o agrário e o urbano, a batalha maior se trava entre burros e inteligentes. Ou entre burros e burros; ou o contrário. Talvez sejamos todos burros.

Qual deles é você?

Burro com alça: "Não entendi nada. Dá pra me explicar de novo?"

Burro sem alça: "Não sei e tenho raiva de quem sabe."

Burro humilde: "Eu sei de minhas limitações!"

Burros conspiratórios: Dois tipos. a) Burro conspiratório paranóico: "Tudo isso faz parte de um complô para me destruir!"; b) Burro conspiratório esquizofrênico: "Eu sou um grande complô para destruir tudo isso!"

Burro de esquerda: "Fora do PT, tudo é ilusão!"

Burro neoliberal: "Fora do mercado, tudo é ilusão!"

Burro *high brow* (testa alta): "Porque Wittgenstein..."

Burro *middle brow* (testa média): "Porque Lair Ribeiro, digam o que disserem..."

Burro com inteligência de nicho: "Aquele publicitário é o maior diretor de criação do mundo, para anúncios de iogurte."

Burro esperto: É o inteligente que se finge de burro para subir mais facilmente na vida.

Burro de arte: "Adoro ouvir o meu Chopin, lendo o meu Sidney Sheldon e tomando o meu Chateauneuf du Pape."

Burro comercial: "O melhor filme da minha vida foi *Cinema Paradiso...*"

Burro com auto-estima: "Há uma grandeza qualquer na minha opacidade pós-moderna!"

Burro socrático: "Só sei que nada sei!"

Burro esfuziante: "O Brasil é um grande cadinho de todas as maravilhas tropicais! O futuro desta barbárie mulata etc."

Burro economista 1: "O estoque de capital produtivo é fictício."

Burro economista 2: "O estoque de capital produtivo é fictício, mas tudo bem..."

Burro auto-analisado: "Sei que sou burro, melhor do que ninguém!"

Burro *bricoleur*: "Temos de traçar a interdisciplinariedade dos processos cognitivos."

Burro Internet ou ciberburro: "Tenho aprendido muito navegando na *homepage* do fã clube do Elvis Presley."

Loura burra: "Ser inteligente para quê? Basta segurar o 'tchan'!"

Burra esperta: "Eu, hein?... Se eu disser que entendi este papo-cabeça, ele broxa..."

Burro herói: "Eu morro, mas não mudo de idéia!"

Burro pós-ideológico ou burro distópico: "Não há mais nada a pensar sobre o mundo atual, graças a Deus!"

Burro tardio: "Descobri ontem na TV que os Beatles são realmente os reis do iê-iê-iê!"

Burro óbvio: "A realidade é muito simples, meu caro..."

Burro profundo: "A realidade é muito complexa, meu caro..."

Burro "Fukuyama": "A História acabou."

Burro "Kurz": "Não acabou."

Burro linha chinesa: "O MST é o caminho luminoso do maoísmo tropical!"

Burro profundo (sem querer): "*A Cabana do Pai Tomás* fez mais pela moralidade humana que Kant!"

Burro neomarxista: "O socialismo fracassou porque os dirigentes não leram direito a Escola de Frankfurt..."

Burro da USP: "O problema da sociedade atual é o fetichismo das mercadorias."

Burro-FGV *yuppie*: "O problema da sociedade é o marketing das mercadorias..."

Burro *kitsch* A: "Adoro Gugu Liberato e 'Maria Mercedes'." (Finge que gosta de *kitsch*, numa atitude *kitsch*, pra esconder que gosta mesmo de *kitsch*.)

Burro *kitsch* B: Quem ainda usa a palavra *kitsch*.

Burro seletivo: "Ah... Essa, não! O Chitãozinho é muito melhor que o Chororó!"; ou: "Que Schwarzenegger que nada... Van Damme é que é *cool*..."

Burro de vanguarda: "Xii... cara, *body piercing* já era; o negócio agora é o *trainspotting* minimalista..."

Burro estatal: "A Vale é essencial para nossa segurança."

Burro privado: "A Vale não é essencial para nossa segurança."

Burro sem assunto: eu.

O Filme *Forrest Gump* Lança o Idiota como Herói

Ao contrário do que se pensava, os imbecis de hoje são a prova de que vivemos no "melhor dos mundos".

Os idiotas são antigos na literatura. *Forrest Gump* (*O Contador de Histórias*) é um filme idiota ou um filme inteligentíssimo feito em computador sobre um idiota para agradar aos idiotas? Nunca saberemos. Só sabemos que tanto os produtores como a personagem se dão bem: todos ficam ricos.

Forrest Gump transforma sem pensar (ou pensando) 30 anos de história americana num trem parador de banalidades, principalmente as violentas lutas românticas que a América deu ao mundo nos anos 60 e 70. *Forrest Gump* é um dos maiores sucessos de todos os tempos.

O filme tem alguma intencionalidade política ou não? Não sei. Como o mercado americano esconde uma ideologia em cada salsicha produzida, em cada caixa de *corn flakes*, em cada *spray* de laquê! Como é inconsciente a virulência conformista deste país, o que lhes (nos) dá uma deliciosa sensação de eternidade ("a Coca-Cola", pensava eu criança, "existirá para sempre?"). Sim, hoje sei que a Coca-Cola existirá para sempre, para além da vida e da morte.

Esta "segurança", por outro lado, nos traz de volta o velho arrepio na espinha, de que talvez sejamos vítimas de algo não mais contabilizável.

No entanto, o que me dá medo é justamente a inofensividade aparente do filme.

Na literatura, os idiotas eram videntes. Através de seus olhos, víamos o mal do tempo, o absurdo da vida.

Tivemos os loucos-sábios de Shakespeare, tivemos o *Candide* de Voltaire, cujo otimismo mostrava num espelho invertido a sordidez da vida, houve o *Wozzeck* de Büchner, transformado em molambo pela maldade dos poderosos que lhe tiraram tudo, tivemos os *Bouvard et Pécuchet*, de Flaubert, tivemos o Benjy de *O Som e a Fúria* de Faulkner e tantos outros, através dos quais a crueldade do mundo ficava visível. O idiota era o sábio ao contrário, que condenava a sociedade.

Neste filme, algo estranho se passa. Forrest Gump não critica o mal do mundo. Em sua trajetória, ele esbarra em 30 anos decisivos dos EUA e critica aqueles que o criticaram. Forrest Gump condena os condenadores. Forrest Gump em suas lembranças vai transformando em caricatura óbvia toda a sucessão de movimentos transgressivos.

Tudo que contestou o sonho americano nos últimos 30 anos é suavemente ridicularizado para impor uma "sabedoria do idiota", uma espécie de imbecilidade, que seria mais sábia que os que lutaram contra o mundo torto. Assim, o movimento negro é transformado em grupo de loucos idiotas que espancam mulheres; os *hippies*, liderados por Abbie Hoffman ridicularizado, parecem mendigos-palhaços; a invasão do Vietnã se transforma num piquenique mal organizado, a sexualidade explosiva dos anos 60 e 70 é transformada em sujas orgias cheias de pecado e decadência. Gump se vinga dos *hips*.

Forrest Gump é computadorizado entrevistando John Lennon e até a música "Imagine" é desancada na brincadeira, até os veteranos do Vietnã

aleijados viram um poço de rancor tão despropositado que parecem dar razão ao Estado que os enviou ao desastre da guerra. A história americana recente é banalizada com pequenos truques de computador que inserem Gump em Kennedy, Nixon, numa manipulação sutil que inocentemente transforma tudo num *videogame* de bobagens, numa brincadeira inofensiva.

Entenda bem. Nada disso foi feito "intencionalmente", com as maldades de uma propaganda "contra" os anos de heroísmo e esperança. Tudo é espantosamente inocente, mas cai como uma luva num mundo onde nada mais acontece, onde tudo é administrado por um idiota inteligente, que dá certo. Gump fica rico por acaso, pescando camarões e entrando na sociedade da Apple computadores.

A contestação dos anos 60-70 vira uma espécie de distúrbio mental, enquanto o idiota é saudado como símbolo de uma saúde social nova e pura. Há uma santificação da burrice diante da imutabilidade inevitável da vida americana. É interessante notar que Jenny, a namorada de Gump, é punida por seus excessos. Ela, que foi *hippie*, amante de negros, contestadora em Washington, ela, como uma réplica pós-pós da heroína de *Love Story*, morre castigada por um vírus misterioso no final (será uma metáfora da Aids?) e deixa com ele o filhinho dos dois, um pequeno duende Gump que será o homem do futuro.

Nos EUA de hoje, um Hunter S. Thompson, por exemplo, virou figura arcaica com seu ódio fora de moda contra o *american dream*.

Surgiu um novo tipo de contestador silencioso: o *slacker*. Este é o jovem que, numa melancolia sem rumo, não tem mais curiosidade nem raiva, não luta por nada, busca uma espécie de ignorância ideológica de nada querer saber, e vaga pelos bares e ruas numa tristeza endêmica e silenciosa. O ídolo dos *slackers* é o suicida Kurt Cobain, a morte sem motivo, o nada como cotidiano aceito. O "Gump" seria uma espécie de antídoto "de direita" deste *slacker*. Ainda há no *slacker* a inteligência reprimida, uma crítica muda à sociedade que não o acolhe.

O idiota feliz é o "Gump", o bobo digitalizado, o obediente programado, que aceita tudo que fazem com ele e que é premiado por uma boa inserção social. O "Gump" é o cabelo escovinha, pronto para servir, como um soldado à paisana. É interessante notar que ele não envelhece nos 30 anos que se passam e fica como um andróide de corporação durante o filme inteiro.

Claro que os produtores deste filme pensaram: "O mercado de cretinos é imenso e vai se identificar com o herói e este filme dará um granão!". Forrest Gump é o precursor do que seremos. É o habitante ideal da sociedade homogênea. É o idiota que venceu. É uma espécie de "anti-Candide" que prova que vivemos no "melhor dos mundos". O filme emociona o público com a bondade do pobre idiota. Tudo é muito inocente; e isto é que me dá medo.

O Filho de Deus Começa a se Tornar Homem

O escândalo da grana dos bicheiros "contra a fome" liberta Betinho da "falsa" santificação em que o colocamos.

Qual é a diferença entre Betinho e João Alves, o "anão-chefe" do Escândalo do Orçamento? Um é convexo e o outro é côncavo. Betinho é virado para fora. Não come. O outro é virado para dentro. Come tudo que passa.

Diante do mundo, o animal só quer comer. O homem pode esperar. O Brasil é um país de côncavos, devoradores. Num país de comedores, Betinho não come nada. Dá medo falar do Betinho — há perigo de sermos injustos.

Betinho é um faquir num país de glutões. Betinho virou o logotipo da própria campanha. Cada vez mais se parece com os miseráveis que defende. Pouca gente se identifica com ele. Os ricos, os gordos, os sadios não se identificam com ele. Apenas rosnam com respeito, num misto de idealização com inveja, com um vago mau humor diante de tanta pureza. Do pobre alguns têm pena. Do Betinho, temos medo, por que ele é mais trágico do que nós.

Betinho é uma espécie de miserável portátil que admiramos. Betinho é um pobre com visão de mundo, com título de doutor. Um pobre que quer salvar o povo da fome e a nós do egoísmo. Tão magrinho, tão frágil, ainda tem energia para isso tudo. Betinho tem a aura *demodée* do herói. E nos humilha com sua bondade, pois pensa em nós. E nós só pensamos em nós. Betinho relançou a moda da santidade no Brasil.

É impossível não juntar Betinho à idéia de Deus. Betinho foi sendo transformado em santo. Com a santidade, ele criou uma crise para o país. O Brasil estava docemente embalado no cinismo. A moda suprema era o "maquiavelismo caipira", ou seja, a idealização da escrotidão como forma de sabedoria. "Maquiavelismo caipira": a elevação do oportunismo à categoria "filosófica". Nossos corruptos e covardes transformaram a esperteza em saber.

Para o político básico, para o burguês larvar, virtude é coisa de viado. ("Roubei no Orçamento!" "Isso, dá-lhe Maquiavel." "Descolei uma comissão bárbara!" "Muito bem!" "O que é o Ser, afinal?") Há um secreto orgulho na escrotidão brasiliense, como há uma doce tolerância com os "adoráveis" contraventores do bicho.

Todos estávamos cinicamente conformados com a sordidez, num alívio com o desencanto pós-moderno, que nos tirou o fardo da justiça e da bondade. Estávamos conformados com a transparência do mal, e lá vem o Betinho nos trazer o bem. Betinho nos matava de culpa.

Éramos todos canalhas perto do Betinho. Que fizemos então com este santo que nos incomodava? Primeiro, transformamo-lo em "mais santo" ainda, uma madre Tereza de Calcutá de calças. Santificado, ficamos eximidos de imitá-lo. Como santo, ele tinha a vantagem de demandar apenas a abstrata solidariedade dos ricos e não sua expropriação. Através de doações, aplacávamos sua "fome" e nossa culpa.

O grande perigo de Betinho era que ele legitimasse a idéia de uma política paralela. Havia algo de Gandhi no Betinho. Que aconteceria se

o Betinho saísse da prisão da santidade e caísse na política? Ele teria de fazer o sujo jogo de conciliações e não poderia trabalhar com categorias supremas como fazem os grandes metafísicos. Sua santidade colocava-o acima de nossa discordância.

Conheço gente que odeia o Betinho, mas não tem coragem de criticá-lo. Dizem: "Acho uma besta, mas... ele é legal." Viramos Betinho em santo para não competir conosco.

Eu vi o Betinho nascer. Há 32 anos ele nasceu da esquerda católica, fundando a Ação Popular (AP). Eu era do time ateu do Marxismo mal lido e tinha raiva de uma superioridade que a turma do Betinho ostentava; segundo eles, havia "algo mais" que a sociedade. Além do capitalismo e do socialismo, havia "algo mais". Havia (e há) a idéia de "queda". Somos uma "queda". Da natureza, até concordo. Mas era do espírito.

Havia também a idéia de "parúsia" (nos ensinara o filósofo padre Vaz), algo tipo "comunismo do futuro com Deus", espécie de paraíso sobre a terra, que atingiríamos. Até hoje, minha amorosa discordância com Betinho seria por aí. Até hoje, ele mantém este amor por "algo" que não está aqui, que é além da sociedade, além do egoísmo, além do óbvio. Eu já acho que não há nada além da sociedade real, e nela temos de transar.

Súbito, o filho de Deus se fez homem. Pegou uma grana dos bicheiros. O susto foi igual a um sacrilégio. Teria Cristo comido Maria Madalena? Nosso susto foi seguido de um alívio.

"Viu? Ele também é escroto como nós!", suspiram aliviados políticos e burgueses, jogando fora o fardo da bondade. No entanto, foi ótimo o que aconteceu. Betinho é um grande homem que só tinha errado ao achar que podia trabalhar numa zona neutra de bondade e amor, numa espécie de milagre franciscano, longe do mal do mundo (seu vício idealista dos anos 60). E, de repente, se viu envolvido com Castor de Andrade, que tinha o carisma populista de um marginal-herói.

Mas a realidade pinta sempre, e sempre para o bem. Foi um choque de realidade. Betinho estava aprisionado na sua imagem de santo. Na verdade, seu "erro" só nos humanizou, humanizando-o.

Betinho devia se abaixar e beber da sarjeta esta lama vital que o salva e enobrece.

Políticos Vêem a Cultura como Velha Doente

No Brasil, a maioria dos homens do poder ainda acha que a cultura brasileira precisa de caridade ou ajuda.

A cultura é uma deusa abstrata, uma senhora velha e triste, de camisola grega, que mora num museu, perto da sala das múmias. É assim que a cultura é vista pela maioria dos políticos brasileiros, por deputados metafísicos, por senadores-literatos, e por simples burocratas de todos os escalões. É difícil mexer suas cabeças. A história do cinema brasileiro, por exemplo, tem sido um delírio que faria Kafka reescrever *O Processo*. Temíamos as serpentes e esquecemos das minhocas. Achávamos que o "imperialismo" destruiria o cinema nacional, mas quem nos destruiu foi um pequeno cineasta fracassado: Ipojuca Pontes e seu rancor. Assim, lutávamos contra gigantes e os anõezinhos deram as rasteiras. No país, os psicopatas *light* são mais perigosos que os grandes canalhas. Vejam os anões do Orçamento ou os pequenos relatores das reformas.

Que pensam os políticos e muitos ministros de áreas técnicas sobre a criação brasileira? Quase todos têm uma visão portuguesa de que a cultura precisa de caridade ou ajuda. Ninguém pensa em cultura no Brasil

como um ser vivo. E a idéia de ajuda leva ao desejo de intromissão e controle.

Vejamos algumas nuances.

1) Políticos figurativos — São inteligentes e liberais até a hora em que se fala de cultura. Aí, perdem o rumo, entram em angústia. Eles detestam a coisa fluida da arte. Odeiam o abstrato. Um quadro de Antonio Dias, por exemplo, provoca pânico. Querem pegar o objeto, carimbar vias, exigir certidões, clareza. Eles têm horror da "forma das coisas desconhecidas", como diria Shakespeare. Querem a figura. Há muitos no PT, todos do PC do B, muitos no PFL e PSDB. Político brasileiro é acadêmico e figurativo.

2) Políticos antiutópicos — Ninguém entende que a cultura tem de ser fecundada e não financiada. Os políticos tinham de criar instrumentos e órgãos que buscassem se extinguir, por desnecessários. Como pais que ensinam os filhos a serem independentes. Mas não conseguem. São aliados dos burocratas dos guichês. O guichê é a dor do artista dependente, a proteção do burocrata e a lojinha de favores de políticos. Através do guichê, passam todos os rituais do clientelismo cordial. O guichê é a portinhola do fisiologismo.

3) Kafkas e macarthistas — Surgiram depois da onda das CPI's. Misturando fobia e correção, transformam todo projeto numa impossibilidade. Só criam decretos em forma de labirinto, com tantas garantias contra desvios, que qualquer lei perde sua função de estímulo. A Lei Rouannet foi assim. A gestão atual do Ministério conseguiu melhorá-la, mas, quando foi sancionada, era impossível de ser aplicada. Um burocrata me disse, na época: "Se fosse fácil de aplicar, não tinha graça..." A lei vira um fim em si. A arte passa a existir para garantir a dificuldade da lei.

Na cabeça do político médio, o artista é uma espécie de marginal que tem de ser vigiado em seu sórdido desejo de criar. O ideal para eles seria

um cinema sem filmes, um balé sem danças, um teatro sem peças. De onde vem esta idéia, num país de corruptos, de que o pobre-diabo do artista é um assaltante? Dos funâmbulos portugueses do século 15?

4) Esquerdistas da cultura (os vingadores) — Estes políticos acham que "amam" o povo, e, portanto, concluem que não pode haver cultura porque o povo passa fome. *Slogan*: "Se não há pão, para que arte?" Neste raciocínio, talvez o fim do balé Corpo acabasse com a miséria no Vale do Jequitinhonha. Gritam de fonte alta: "O Piauí sofre, mas, em compensação, o Jabor não filma mais!"

5) Esquerdista da cultura tipo B (a forma) — São seletivos em termos de arte. Toda complexidade é "alienação". São patrulheiros estéticos do formalismo. Para o povo, só coisas simples, claras. Eles me lembram uma milionária carioca que redecorou a casa toda e botou Picassos na sala e Vitalinos no quarto das empregadas.

6) Políticos machistas — Acham que arte é coisa de viado. Dizem que esta frase é de Mário Covas.

7) Empresários sem poesia — Jamais aplicam em cultura, apesar das leis novas. Acham que cultura é o vaso de Murano que a bicha decoradora mandou a mulher dele comprar para a casa pós-moderna do Morumbi. Falam com orgulho, mostrando o vaso ao amigo da Bolsa: "Quer ver o que é arte? Arte é isso!"

8) Tecnocratas "hamlet" — Vivem do medo e da indecisão. Nunca têm coragem de decidir em seu nível. Sempre esperam a instância superior que espera a instância superior e assim por diante. Para eles, nada anda. Odeiam a simplicidade. Se o mundo fosse simples, eles perderiam o emprega. Na época da Embrafilme, eles viviam da fome dos cineastas. Era preciso que houvesse cineastas carentes para que houvesse funcionários. Eles nos queriam vivos, mas em agonia, para que não perdessem o emprego. A Embrafilme gerou uma fornada de cineastas

infantilizados e de produtores-despachantes que não conheciam o mundo real do mercado.

9) Políticos críticos (de cinema ou outra arte) — Eles têm gosto próprio. Alguns, por exemplo, só gostam de filmes de ação. Senadores e deputados berram: “Rambo é legal; mas este negócio de filme da arte tem de acabar!”

10) Políticos de fino gosto — São poucos, mas existem. Só gostam de filme estrangeiro. Adoram Bergman, filmes búlgaros e iranianos. Sabem tudo sobre Tarantino ou Almodóvar. “Filme brasileiro para quê? Já tem novela...” Se os críticos esquerdistas da cultura são típicos dos ministérios econômicos, o burocrata fino é típico do Itamarati. Cultura para eles, só Ming ou Gobelins. Toleram, no máximo, um Aleijadinho.

11) Os regionais da cultura — Arte e criação, só de microrregiões. É o pessoal do bumba-meu-boi contra a arte urbana. A cultura tem de ser “descentralizada” (adoram esta palavra) e ser bem pobrezinha e precária para existir como metáfora de nossa miséria mambembe. *Slogan* preferido: “Abaixo Mallarmé! Viva o Maculelê!”

12) Afilhados da arte — Sempre que algum deputado ou senador tem de empregar o filho incompetente de algum compadre, grita: “Ele sabe fazer o quê? Nada? Então, manda para a Cultura!” Cria-se uma geração de afilhados sem rumo que atravancam as fundações artísticas e as secretarias de cultura dos Estados. Cabide também é cultura. “Que que o senhor é?” “Bem, eu era assassino em Maceió. Agora sou chefe do Departamento de Literatura e Semiologia.”

13) Literatos engajados — Para estes políticos, a arte é um ornamento que enfeita o triunfo político. Muitos vão ser escritores ou poetas para construir um prestígio que facilite eleições ou postos bem pagos. Para eles, a literatura engajada é aquela que ajuda a descolar bons postos no exterior. Escrevem muito. Gostam de nossas lendas e folclore. Conhecem

como poucos a beleza da vida rude de nossos homens do interior, mas vivem em postos de Paris. Este tipo de literatura engajada na política foi inventada no Maranhão.

14) Juristas implacáveis — Homens em geral muito velhos ou mulheres muito louras e com muito laquê e muito batom. Chamam-se em geral Dr. Bevilacqua ou D. Margareth. Comem de marmita e dormem no almoxarifado. Estão nos ministérios há 40 anos e falam muito em Gustavo Capanema. Para eles, nada pode. Tudo é ilegal. Os ministros penam em suas mãos. Destroem qualquer lei com a técnica da regulamentação. Exemplo: a Lei da Cultura de São Paulo, que Ricardo Othake criou, foi a melhor já feita. No governo de Covas, foi engavetada por motivos misteriosos. Nunca mais se falou disso.

É isso aí. No Brasil, o Poder pensa que a cultura é uma senhora doente que tem de ser protegida para não morrer.

Nos EUA, a cultura é uma adolescente criativa que tem de ser estimulada a viver.

Precisamos de um banho americano nesta cultura portuguesa.

Sérgio Ratazana Queria Matar o Prefeito

Em setembro de 95, a polícia pegou uma carta do traficante Dico CV para seu chefe Sérgio Ratazana, preso na Bangu I, onde se planejava o assassinato de Cesar Maia. Como seria esta carta?

Amigo Ratazana:
Sou um novo homem, chefe, você aí na cana dura da Bangu 1, espero que esta lhe chegue logo. Chefe, aqui vai um abraço de todos. O chefe pode estar invocado, mas não deu para mandar o prefeito Cesar Maia para a vala, por causa de que os samango pegaram minha cartinha, não se preocupe que esta vai segura, mas chefe, nós descobrimos que houve uma grande vitória. Explico. A turma sacou que mais importante que matar o prefeito é "tentar" matar o prefeito. Eu, Tulé, Pereba, Ratinho seu sobrinho, Gambá, todos concordam que em termos de marketing é melhor ficar numa espécie de bingo com o prefeito do que "fechar" mesmo ele. A cada atentado ganhamos mais visibilidade, *exposure*, como disse o gringo que trouxe os AR-15 novos, precisava ver que armas chefe.

O Comando Vermelho está famoso e nós estamos cheios de alegria com esta gincana, de ficar atacando o prefeito em tudo que é canto. É o maior barato!... Tá virando um esporte, com aposta e tudo. Depois que ele escapou ali da porta da igreja dos Capuchinhos, porque ele estava com o craque Zico do lado, que estava tão perto que o Tulé se recusou a atirar por causa que ele é vidrado no "Galinho de Quintino" e podia machucar o ídolo dele. Depois disso, nossa vida tem sido as emoções da "caça ao Cesar Maia". Ele tá todo protegido, cheio de samango em volta, colete de aço, capacete, parece o frango da Sadia. O Pereba tentou envenenar ele com suco de caju no coquetel da PM. O Pereba ficou legal de garçom-bicha, ninguém notou. Mas o prefeito não bebeu o caju com arsênico na hora H.

Depois foi aquele apedrejamento na inauguração da escola, o Ratinho seu sobrinho fingiu de cabo do Brizola e tacou um tijolo no Cesar que pegou no secretário de Obras e aí os samangos embarcaram o homem na *pick-up* blindada nova. Depois, foi o Betão que é doido e subiu no prédio ali do Mangue onde é o gabinete do prefeito. O Betão conhece bem o Mangue que a mãe dele era puta, e você acredita, Ratazana amigo, que quase que o Betão disfarçado de produtor cultural consegue deixar uma bomba debaixo da cadeira do homem? Mas a secretária uma boazuda louraça disse que ele tinha saído no helicóptero e pelo menos o Betão acabou comendo a secretária, pode? O Betão é fogo, porque é lourinho.

O prefeito Cesar é meio babaca, o senhor não acha? Ouso dizer, Ratazana amigo, que ele tem a volúpia de ser um alvo de ataques. Mas naquela babaquice tem esperteza. Ele ganha como vítima possível, mas nós entramos na mídia, chefe amigo! E aí que vem a razão desta minha cartinha.

É que foi igual um clarão quando eu vi minha primeira carta para você nos jornais outro dia. Entendi tudo! A idéia de mandar o prefeito para o espaço foi um ponto luminoso da história do Comando Vermelho do nosso querido Rio. Tá sacando, amigo e chefe? Nós não somos mais os mesmos! A turma está orgulhosa chefe, a gente ganhou uma dimensão política!

Esta é a primeira vez que um jornal mostra um escrito meu, primeira vez que se ouve a voz do Comando Vermelho! Eu até levei minha carta no jornal para minha mãe ver, a galera do morro tá no maior respeito comigo, nego tá até me chamando de escritor. "Fala, Jorge Amado!" O Rio tá mais democrático agora, porque o prefeito também pode acabar com a boca cheia de formiga, sacou chefe? Nós elevamos o nível da luta. Outro dia, a turma estava na birosca do Turco lá no alto do Gambá cheirando umas, quando sacamos que tudo tinha mudado. Somos hoje uma grande empresa! Recebemos drogas, giramos milhões, geramos empregos, temos um projeto, chefe Ratazana, temos um projeto! Crime também é mercado!

Isto, amigo Ratazana, é poder político! Quem como nós do Comando Vermelho tem armas de grosso calibre, quem pode ser o braço armado das comunidades carentes? Veja o prestígio de Uê, chefinho, o nome sagrado de Escadinha, e tantos outros companheiros nossos que hoje infelizmente estão fora da luta.

Chefe, veja bem, nós agora podemos ser fato decisivo em eleições. A quem vamos vender nosso apoio, a Cesar ou Marcello Alencar? Podemos desmoralizar um governo de estado, uma prefeitura, e fica claro, veja bem, companheiro Ratazana, ou melhor, chefe, que podemos estender este poder de influência até para nível nacional, veja bem, apoiar ou não por exemplo o PMDB de Jáder Barbalho ou de Paes de Andrade. Podemos furar a aliança PDT-PT ou não? Sacou? E o PFL? Lembra do cara do Banco Econômico? Se ele dava apoio ao PFL da Bahia, por que não podemos dar nós, armados e movimentando milhões de dólares? Que que ele tem que nós não temos?

Agora, a grande novidade: ontem, fizemos a primeira reunião. Estavam lá grandes nomes. Veio até o Nego Velho, lá do morro da Formiga. Buzunga não veio porque infelizmente Deus o tenha, os samangos fecharam ele, desculpe que eu não quero trazer más notícias.

Veio todo mundo, Pereba até matou um porco. Foi demais. Diante de nós se estendia a Lagoa Rodrigo de Freitas e a cidade toda. Grande barato, chefe, a sensação de ser dono de um estado, a tarde caindo, os morros todos fervendo uma onda de ouro e azul (nego me goza me chamando de "Jorge Amado", mas tudo bem). O caso, chefe, é que quando a noite caiu lá no Pavãozinho, vimos que, por uma proposta aqui do seu amigo, logo apoiada por Gambá, Tulé e até pelo Pereba, estavam lançadas as bases para a formação do PCV, ou seja, do Partido do Comando Vermelho! Seremos um Partido!

Este partido é realmente dos marginais e representa um mercado emergente forte, drogas e armas ligadas aos novos fluxos internacionais. Estamos se inserindo na nova ordem mundial. Somos neo-sociais e neocriminais, o Gambá falou e todos acharam legal! Claro que somos contra a liberação das drogas, pelo amor de Deus... ah... ah... que ninguém é de ferro!

E foi uma grande alegria, chefe, quando todos celebraram a criação do novo partido atirando com seus AR-15 em direção à lua que parecia derramar sangue na Lagoa (escrevi uns versos, depois mando) e tomando chope e esta cartinha está terminando e espero que você receba bem e finalmente digo sua intenção.

Todos estão de acordo, menos o Nego Véio que tem inveja de você, que além da fundação do PCV, vamos lançar seu nome para as próximas eleições, até lá você já saiu, deixa comigo. Você vai ser o homem certo para representar o povo do Rio! Teremos Sérgio Ratazana para a Prefeitura do Rio de Janeiro!

Seja marginal, seja herói!

Muitos parabéns e abraços, do seu mano Dico, CV, ou melhor, do PCV.

O Presidente Deita no Divã do Psicanalista

Doutor, por que me sinto tão sozinho? — perguntou FHC ao psicanalista.

— A pior forma de solidão é a Presidência da República. Cento e tantos milhões olham-no com esperança ou ódio. O senhor tenta ser o psicanalista do país, mas o país também o está psicanalisando. O Brasil virou um Centro de Terapia para Presidentes — respondeu o analista, no fundo do salão do Alvorada.

— Esse massacre no Pará foi terrível! — gemeu FHC.

— Para quem? Para eles ou para o senhor? Foi seu primeiro golpe duro. O massacre doeu-lhe; foi uma ferida narcísica em flor. Essas explosões de miséria chocam seu desejo racional de harmonia, presidente. O senhor quer trazer o Iluminismo para um país feudal.

— Mas eu gritei: "Isso não é coisa de país decente!" — reagiu FHC.

— Sim... Mas vamos analisar... O país "não" é decente... O senhor reagiu como a um ataque pessoal. O senhor é ruim de reações agressivas. Geralmente, seu ódio vem custoso, reativo, vitimado.

— Maria da Conceição disse que, na universidade, eu sempre quis conciliar contrários... Isso é ruim, doutor?

— Não... Isso é seu melhor lado desde sua tese sobre "Capitalismo e Escravidão", essa vontade de acabar com o maniqueísmo vagabundo da esquerda óbvia, que adora um conflito insolúvel para viver no marasmo da impossibilidade, no pântano do não. (O analista gostou da frase.) Por não ser assim, o senhor é o presidente apto para resolver esse drama entre a Bélgica e a Índia.

— Será que consigo, doutor?

— Se bobear, dança! Quer dizer... Presidente... essa é sua maior coragem e seu maior risco. O que a esquerda velha condena é seu mais fino bordado: a aliança com o PFL e as transigências paródicas com o fisiologismo, como uma espécie de "metatoma-lá-dá-cá" que se autodenuncia. Só que essa estratégia de "cordialidade crítica" também se esgota depois de certo tempo, e a sedução começa a não bastar. Presidente, entre a tolerância e a vaselina há um limite que é quase nada...

— Mas eu não sou vaselina...

— Não... Mas o senhor... Presidente... tem uma grande dificuldade em desagradar. O senhor sonha com uma unanimidade impossível. Esse desejo "ecumênico" apenas esconde seu medo pelo próprio ódio. Já disse: o senhor é ruim de conflito. Aquele lance do "nhenhenhém" foi lamentável. Parecia que você... o senhor estava lamentando que seu ideal francês de harmonia estava sendo estragado pelos meninos maus do PT.

— Eu tento encontrar caminhos entre a globalização e o Brasil... E esses babacas...

— Muito bem, presidente...

— Esses putos... Acham que eu me vendi ao FMI...

— Claro... O senhor trabalha com a "positividade"... Que eu acho superlegal, porque os intelectuais da herança hegeliana têm a fixação na "negatividade"... Eles acham que só o "contra" é legal... São uns paranóicos... Mas teu... desculpe... o senhor...

— Pode me chamar de "tu"...

— Obrigado!... Teu horror aos velhos vícios marxistóides... teu amor à chamada "utopia possível" não pode te levar a perder o sentido de "tarefa", que é a melhor herança dos comunas... Esse amor ao complexo não pode te paralisar. Você inventou um bonapartismo disfarçado, um messianismo cordial que quer resolver tudo sozinho... O messianismo *light* do sorriso...

— Mas eu acho que não adianta um voluntarismo emergencial que quer resolver tudo. Tenho de desbloquear caminhos do Estado, para a água correr...

— Tudo bem... Mas você não pode confundir isso com um "laissez-fairismo" malsão... Com um "deixa pra lá" para as metas. Você se acha a "resposta" para a crise entre a globalização e o Brasil. Se você for mais humilde, poderá agredir antes. Você só agride por reação...

— Mas, doutor...

— Você acha o ódio feio... Só que seu amor à "razão" esconde um medo do emocional... Veja o teu porta-voz, é um homem de bem... Mas é o porta-voz da não-emoção, da má notícia, fala de olhos baixos, tristes. Ele é tua emoção, teu outro. Você acha que entende os outros, fez sociologia; mas a sociologia é apenas a análise dos outros. E a psicanálise é a sociologia do "eu"... Ah! (Gostou da frase, o freudiano...) Você precisa jogar sua loucura para fora. Até o Itamar dava mais medo que você... A gente vivia em suspense, pois ele podia destruir o país a qualquer momento... Aliás, como foi fácil ser ministro, cuidando da maluquice do Itamar!... E, hoje, quem é o teu "Fernando Henrique"?... Teu sorriso seduz, mas começa a virar um desafio para a oposição apagá-lo. Um esporte: irritar o FHC. Se você começa a perdoar muito, perdem o respeito. Vão te caçar a pauladas, feito uma ratazana grávida!!! Desculpe a imagem... Ah, ah... Você está sozinho por narcisismo. Você não viu o José Dirceu abraçado ao Sarney, ao Itamar e aos quercistas, te atacando e condenando tuas alianças?... Que vergonha... A culpa de tudo acaba sendo sempre tua... Subiu o frango, culpa tua; mataram os sem-terra, culpa tua. Cuidado! Todo narcisista anseia por um martírio! (FHC tremeu. Começava a ver uma luz de entendimento.) Você não precisa mais ser amado; tem de ser temido. Temido... Brasileiro gosta de macho. "Ah, o Collor, digam o que disserem, ele é macho", diziam nos botequins... Latino gosta de autoridade. (Algo mudava em FHC.)

Ninguém sabe das tuas intenções! Você não pode deixar que te chamem de reacionário vendido, como faz a oposição stalinista! Seja humilde e faça uma grande campanha de explicação ao povo. O Brasil precisa de um plebiscito branco, senão não haverá reforma, tudo volta atrás. E os sabotadores dirão: "Viu? Fracassou!" E vão continuar a cafetinar a miséria.

Não seja egoísta; reparte teu poder com a sociedade. Aliás, onde estão as campanhas publicitárias? Tua única publicidade até agora foi o Bráulio das camisinhas e aquele despertador do "Acorda, Brasil!". Que horror! Pra mim, esse é o grande mistério do teu governo: como a melhor campanha eleitoral do mundo virou essa "Radiobrás" de merda? Desculpe, presidente... (FHC exalava cada depressão, mas a luz vinha.)

Você vive falando em reformas, reformas... Se você não se reformar internamente, não vai ter reforma nenhuma... Agora é o momento da virada. Bota para fora teu ódio, bota, Fernando... Do contrário, você vai ser o Gorbatchov latino e vai dar o poder para algum bêbado louco por aí!

Foi então que o presidente se ergueu do divã. E gritou:

— Seus idiotas... Seus cascas de ferida, seus sujos, mequetrefes, nefelibatas!...

— Isso, Fernando...

— Eu... Eu sou o presidente desta joça... Meu povo! As reformas são o seguinte... Eu sou o que manda, eu sou o pau na mesa, o chefe desta pátria que nos pariu!

— Dá-lhe, garoto!... Isto é... Presidente!

Chapas-Negras e Fisiológicos Querem me Processar (1)

Em maio de 96, num comentário que fiz na TV Globo para o programa "Bom Dia Brasil", disse que alguns deputados do Congresso, no seu delírio fisiológico, estavam transformando aquela casa numa lanchonete, num supermercado para vender favores políticos. Só faltaram me matar. Pediram minha cabeça com ameaças de processo. Foi um escândalo de grande repercussão que alguns congressistas quiseram usar para votar uma nova Lei de Imprensa, repressiva e ditatorial.

Em geral, os jornalistas me defenderam da "sanha fisiológica", mas alguns "coleguinhas" rancorosos me acusaram de atacar o Congresso para defender FHC. Aqui vão as respostas que mandei a estes biliosos detratores — "chapas-negras", como os apelidei.

Ao entrar no grande *hall* de mármore do STJ, tive uma vertigem de reverência, vendo as capas negras dos juízes, que adejavam como condores pelos corredores brancos.

Um clima de "Kafka *clean*" me assombrara os passos, até eu chegar à presença deste juiz que agora me interrogava, no processo que congressistas e seus sócios jornalistas-patrulheiros, "os chapas-negras", moviam contra mim.

Mas a grandeza do tribunal, a altura da mesa do juiz, as colunas, os reposteiros contribuíam para amolecer minhas convicções. Comecei a ter um delirante desejo de me culpar.

O juiz me olhou de seu palanque altíssimo:

— Você não percebe que está unindo forças antagônicas contra você? (Não sei por que o juiz, magro e severo, me lembrava o "chapa-negra" Janio de Freitas. O "chapa-negra" é o sujeito que finge que é progressista, mas é movido só por inveja e rancor.)

— Você não percebe — me dizia ele ferozmente — que você está atrapalhando a burrice brasileira, feita de uma clara divisão de bem e de mal? Quem é você? O presidente do PT diz que você é o "porta-voz oficioso do governo". Além disso, os ruralistas, os evangélicos te atacam...

À medida que o homem falava, eu sentia um desesperado desejo de perdoar.

— Sim, meritíssimo, talvez o José Dirceu tenha razão e eu seja um reacionário.

Minha alma começou a entender o José Dirceu. Vi aqueles anos todos de uma ideologia cheia de confusão e delírio, tudo tão precário, vagas noções de justiça, todo um narcisismo disfarçado de amor ao povo, a mente cheia de rebotalhos de um leninismo mal assimilado.

E eu perdoei o Zé Dirceu. Logo quando ele chega a líder do PT, o sindicalismo declina e ele acaba defensor de funcionários públicos. Ele que sonhava com as massas... Pobre Dirceu. Que dor lhe causa toda esta infernal complexidade do mundo de hoje, ele que tem um "Muro de Berlim" na alma, que o faz viver no escuro do seu fraco entendimento. E eu disse ao juiz:

— Sim, meritíssimo... O Dirceu tem razão. Eu não passo de um fantoche neoliberal!

— Como então o senhor é chamado de "esquerdista" pelos ruralistas?

— Talvez seja um resto de totalitarismo que carrego comigo, senhor, que me impede de entender a beleza do latifúndio colonial secular, de ver como é doce a fidelidade a esta "casa-grande" no coração, quanto amor familiar se esconde atrás de um fazendeiro que comanda massacres. Eu era um comunista frio que não entendia a beleza do patrimonialismo brasileiro.

O juiz me olhou com desconfiança.

— Mas, se o senhor era comunista, como é odiado pelos albaneses do PC do B?

— Só agora, diante do senhor, eu vejo quão cego eu fui para a poesia *kamikaze* dos fundamentalistas da esquerda. Em nome de um racionalismo raso e administrativista, pensando em melhorar a qualidade de vida possível do povo, eu esqueci quanta poesia existe em um delírio maoísta, na doce burrice de um sectário, quanta tradição mora nos velhos *slogans* de um avozinho vermelho como João Amazonas... Sim, meritíssimo. Tenho de fazer autocrítica, diante do cérebro pequeno, mas puro, de revolucionários albaneses. Sim, eu declaro que sou um verme burguês dos arrozais.

— Mas, se você é um burguês sórdido, como explicar então que verdadeiros burgueses, gordos senhores como Newton Cardoso, ícone do reacionarismo crasso de Minas, te dediquem tanto ódio? — perguntou o magistrado.

Possuído de culpa, entendi o drama de Newton Cardoso. Aquele homem, que tudo levou do poder, era solitário. Newton tinha a síndrome de ser a imensa caricatura de si mesmo, um monumento vivo da boçalidade. E também, condoído, entendi a grande dor de Newton, carregando aquela alma feita de toucinho pelos campos gerais, e vi que eu não era um burguês perfeito. Me faltava o *physique du rôle*. Afinal, pensei num calafrio, não sei quem sou...

— O senhor está querendo provar que é um cristão que tudo perdoa? O senhor é o quê? Um evangélico?

— Não — respondi cabisbaixo. — O Edir Macedo me acha um Exu... (Aumentava minha crise de identidade. Quem era eu afinal?)

— O senhor quer fechar o Congresso? É fujimorista?

— Não. Sou democrata.

— É jornalista de oposição ou bajulador?

— Nem jornalista sou, meritíssimo. O comissário do povo Janio de Freitas me cassou a carteira. Segundo ele, eu sou da "direita envergonhada" com "alma fascistóide".

— Mas você não é "fernandista apaixonado"? Você não está abalado pelo desgaste do seu "guru", como bem apontou o Janio de Freitas?

(Estranhei que o juiz soubesse tanto de Janio. Seu rosto duro me lembrava também o perfil bilioso de Carlos Heitor Cony, numa fusão de imagens.)

— Não sou bajulador de ninguém. Se de alguém fosse, eu não seria bajulador de Nilo Batista, guru do "chapa-negra" Janio de Freitas, profundo conhecedor das listas de bicheiros e defensor do Centrão de Fisiológicos do Congresso, que ele chama carinhosamente de "Grupo Consciência".

Eu também não seria como o Carlos Heitor Cony, bajulador do falecido Adolfo Bloch, nem baba-ovo do seu sucessor, Jaquito, se bem que eu compreendo, meritíssimo, que um homem tem que ganhar seu pão.

Uma vez, Bloch gritou na redação: "Onde está o canalha do Cony?" Cony aflautou a voz do fundo da sala: "Chamou, Adolfo?" (Mas minha vontade de perdoar era invencível.) No entanto, meritíssimo, eu entendo o Cony. Os sapos que um homem tem de engolir. Literatura menor vende pouco.

Compreendo até que ele ache que eu quero grana para fazer filmes nazistas como *Leni Riefenstahl*, como ele afirmou ontem na *Folha*. Entendo o encanto desse homem com Hitler, ele que comparou o PT ao Partido Nazista, lembra, meritíssimo? (Fui então tomado de grande dúvida.)

Mas, afinal, que crime cometi? Sou culpado porque critiquei o balcão de negócios que alguns congressistas estão montando, com o apoio de Janio e Cony?

— Não! — falou o terrível juiz do alto. — Seu crime é esse desejo de perdoar, como se fosse superior a todos. A misericórdia também corrompe. Você é culpado por não atacar teus inimigos. Isto é soberba. Seja humilde e lute!

O martelo bateu. Num clarão, eu descobri quem eu era.

E prometi a mim mesmo guerrear contra a burrice e a má-fé que me cercam, como um cruzado sem perdão. E apalpei minha faca no bolso da calça.

Os Chapas-Negras são os Patrulheiros dos Anos 90 (2)

Existem muitos tipos de homens de esquerda. Há comunas, socialistas, social-democratas, românticos. Toda uma gama de indignados com a injustiça da vida social.

O homem de esquerda odeia a desigualdade, mas também deve amar a diferença. Amar a diferença é democracia. Odiar a desigualdade é ser de esquerda. O problema é que, dentro da esquerda, existe um tipo chamado "chapa-negra".

O chapa-negra não precisa ser jornalista. Pode ser um político, intelectual, líder de sem-terra, padre, estudante, escritor, operário.

Conheci muitos homens de esquerda e muitos chapas-negras. Os homens de esquerda estão cheios de cicatrizes, de erros, de desilusões. Mas o chapa-negra não muda. Só ele está certo; todos nós temos de segui-lo. Assim, ele desconfia de quem pensa diferente.

O chapa-negra ama a desigualdade, apesar de condená-la de púlpito, porque, sem a desigualdade do mundo, ele não teria o que condenar. Ele

celebra a igualdade sem diferença dos homens, para que sejam tão iguais que não precisem de desejos. Para ele, o "indivíduo" é um traidor.

O chapa-negra não é um tipo ideológico; é um tipo psicológico. É óbvio que ele negue que haja "psicologia". O chapa-negra não tem "mundo interior". Só exterior. O chapa-negra não se explica para nós. Ele é detentor de uma verdade que ele não conta.

O problema do chapa-negra é que ele se acha mais de esquerda que os outros. Ele se acha o parâmetro.

O chapa-negra tem dois sentimentos básicos: inveja e rancor. O chapa-negra parece progressista, mas não é. Parece a favor do povo, mas não é. O povo, claro, nem sabe que ele existe.

O chapa-negra se purifica com o mal do mundo. Se as coisas andarem bem, o chapa-negra se inquieta. Há chapas-negras no PT, no PSDB, na Igreja, em tudo.

O chapa-negra se acha o proprietário exclusivo da dor. Quem ousa tratar a miséria como algo possível de ser resolvido é odiado pelo chapa.

O chapa-negra precisa da miséria (dos outros) para dar sentido à sua vida. Para ele, quanto pior, melhor.

É preciso que tudo vá para o brejo, para que ele possa pedir salvação. Há muitos políticos assim. É preciso que o Real se dane para que ele seja eleito, condenando-o.

Muito chapa-negra pensa que fracassou na vida porque é de esquerda. Nunca lhe ocorre que ele seja de esquerda porque fracassou na vida.

O chapa-negra tem algo de jesuíta, de burocrata, de censor. Ele odeia o viável, pois o viável o inviabiliza.

Ele nunca está satisfeito. Quanto mais houver evidência de fracasso, mais o chapa-negra tem fé. O místico tem a religião da transcendência. O chapa-negra tem a religião da imanência.

O chapa-negra odeia a complexidade das coisas. Acha que é frescura de pequeno-burguês. O chapa-negra desconfia de tudo. O chapa-negra sabe de um complô em andamento. Só que ele não diz qual é. Senão, estraga o complô. Ele conhece tantos segredos, que é quase um traidor. Ele é tão bem-informado, que é quase um agente duplo.

O problema do chapa-negra é que ele não gosta de brincadeira. Está sempre olhando para trás, com medo de alguma faca ou pau. Acha que a História é uma grande conspiração contra ele.

Tudo que pinta não é bem aquilo. Tudo é um disfarce. Se um dia a revolução ganhasse, ele seria contra. Ele não se deixa enganar. E, no entanto, é essencial se deixar enganar.

Ele sabe segredos sobre nós que até nós desconhecemos. Só ele sabe os crimes que nós cometemos. Mas não nos conta. Só ele sabe quem nós somos. E nos deixa o suspense: "E se ele tiver razão?"

A única brecha de bondade que o chapa-negra nos abre é que sejamos uma besta. Nossa única esperança é que, em vez de sermos canalhas, sejamos ingênuos ou burros. Essa é a única salvação que ele nos concede: sermos uns babacas, em vez de traidores.

O chapa-negra é um vingador. Não vingador do povo, como ele pensa; um vingador de si mesmo. O chapa-negra tem um ressentimento infantil. Alguns sofreram assédio sexual na infância.

Para o chapa-negra, o riso é uma forma de fraqueza. Homem não ri; ou ri contra a vontade, um riso tenso, triste. Às vezes, tenho pena do chapa-negra. Ele nunca está onde está. Seu mundo é sempre além, uma utopia triste, uma utopia de guarda-chuva.

Ele é antierótico. Ele não tem nem mesmo a ingenuidade dos fanáticos pelo bem. Ele não se permite nem esse prazer. Ele tem uma missão: convencer-se de que tem uma missão. Como os TFPs, ele é melhor do que nós. Diante de nossa miséria, ele se cala, sacerdotal. Diante dele, todos somos culpados.

O chapa-negra é contra as subjetividades. Ele é contra o sujeito. Só gosta de objetos. Ele é contra as opiniões. Ele acha que não é um sujeito. Ele é um fato.

Qual é o lucro de um chapa-negra?

O "chapa-branca", como o chapa-negra chama os "outros", ao menos tem as vantagens do puxa-saco, arranja emprego, grana, favores dos poderosos que bajula. Mas o que lucra o chapa-negra?

Ele tem o lucro fabuloso de trevas infinitas. Ele tem o banquete da sopa da cabeça de bode. Ele tem a delícia da dor de ser sozinho. Ele tem o lucro de se vingar da vida, condenando-a. Ele tem o lucro do despacho de encruzilhada. Ele tem o lucro do prejuízo do mundo.

O chapa-negra pega; fui obrigado a ser chapa-negra com os chapas-negras.

Tom Jobim Faz Esquecer o Horror Político

Não agüento mais o horror político do momento. E vou encontrar o Tom Jobim. Entro na Plataforma. Ele já estava me esperando em frente ao chope sobre a toalha branca. Ninguém o via, na sua aura brilhante.

"*The hounds of spring are on winter's tail*", começa o Tom, citando, creio, Emily Dickinson ("Os cães da primavera estão na cola do inverno").

É assim o Tom. Perto dele, começa a rolar alguma coisa de essencial, a poesia como língua de um povo primitivo, antes da História.

Nada fica normal, o mundo não importa tanto, porque há um outro Brasil rolando por baixo. A poesia para o Tom não é uma arte. É uma prática; faz parte dele, como os charutos, o chapéu panamá.

"O urubu-caçador dorme na perna do vento!", me diz o Tom, e vejo entre suas palavras o ar infinito, o vento perto de imensas pedras altas. E vejo aquele pássaro-rei flutuando com o pescoço emplumado.

Era ali o outro Brasil que ele estava sempre habitando. Tom morava num exílio, era um homem estranho aqui no mundo, onde ele aportava como um passeante.

Onde ele fosse, era sempre acompanhado por esse mundo feito de bichos, folhas, músicas, palavras. Como Tom gostava de palavras... Mordia, comia palavras, cujo significado estava muito além do significado. Flor não era a palavra flor, nem a coisa. Era um outro som, de uma língua que só ele falava.

Aí o Tom batucou na mesa. Eu já sabia o que ele ia cantar. "Ai ai meu Deus... Tenha pena de mim... Todos vivem muito bem, só eu que vivo assim... Trabalho não tenho nada... Não saio do miserê..."

Cismava com uma música e ficava meses nela. E a música ia além do que ele cantava. Havia ali ressonâncias dos anos 40, sons perdidos na Casa Odeon, onde os discos 78 foram gravados. Havia um eco de rádio, havia a saudade intensa de um país passado.

Tom adivinhava pensamento. Quando fui pedir a música do filme *Eu te Amo* para ele, eu estava me separando de uma mulher e estava doido. Ele mal me conhecia e, de costas para mim, no piano, falou: "Você precisa arranjar uma namorada..."

E começou a tocar, pela primeira vez, a maravilhosa música "Chansong": "*Let's hijack a Concorde to the Bahamas*" ("Vamos seqüestrar um Concorde para as Bahamas"). Era de desmaiar.

Existe uma definição de arte pelo Artaud, que era maluco e, portanto, via demais, que eu acho genial: "A arte não é a imitação da vida. A vida é que é a imitação de alguma coisa essencial, com a qual a arte nos põe em contato." Pois o Tom fazia isso, linha direta com o essencial.

Por isso, fui procurá-lo na Plataforma. Ele estava ali, entre o José Lewgoy e o Miguelzinho Faria. É óbvio que os dois realistas não o viam. Mas, para mim, ele piscava, e a luz de seu halo refletia no chope dourado.

“Calma, rapaz”, disse ele, adivinhando minha angústia e tomando um gole do chope do Miguel, que nem notou.

“Você fica sofrendo por causa desse Brasil aparente, mas existe um outro Brasil, existe uma outra coisa maior; só que ela não aparece sempre.

“É um outro país movente, por baixo deste aí. É o país dos países. A origem. Tem gente que chama de Deus, outros de natureza; eu chamo de substância.

“Tudo faz parte de uma grande ‘substância’: as galáxias, o chope do Miguel, tudo faz parte dessa matriz infinita e sem tempo, que só é espaço.

“Todos nós estamos sendo paridos por essa máquina viva, desde os nossos ossos até nossos pensamentos. Brasil, eu, você, a música, tudo habita uma grande história maior que a História. E, certamente, maior que a política. É a história do DNA, *my friend*.”

Tomou outro gole de chope e acendeu um charuto. “É o seguinte: você sabe que o DNA é a eternidade, a substância? O resto é fita. A natureza tem uma força própria egoísta de produzir mais natureza. Ela tem de se expandir e o DNA, que é o esperma da natureza, comanda tudo.

“Você sabe que o fungo, a folha, o peixe, o pardal, tudo tem o DNA igual? Então, sexo, mulher bonita, cabelo louros, olho azul, orgasmo, beleza, tudo é um grande estratagema para o DNA se propagar.

“Ele quer se reproduzir na árvore, no seu pau, no seu filho... e, depois que você procria, o DNA se desinteressa por você e você pode morrer que não serve mais para nada.”

Depois deste espasmo intelectual, Tom soltou uma grande fumaça do charuto em forma de “oito deitado”, de “infinito”.

“*My friend*, você fica sofrendo porque acha que vão acabar com o Brasil. Vão nada. Nada tem fim. Há um outro Brasil que resiste.

“Tem um Brasil aí de onça, cachoeira, índios, que segura. Depois, tudo vira lixo reciclado. Esses homens terríveis de terno e gravata na Câmara, os bigodes, os egoísmos, as banhas, a retórica, até isso faz parte da substância; é Deus ao avesso, mas é Deus.

"Até o Newton Cardoso faz parte de Deus, não é incrível? Tudo vira lixo para ser reciclado depois. Daqui a uns anos, quem lembra dessa gente?

"O DNA se propaga até nessa feiúra. E vai se iluminando sem rumo. Sabe quem me disse isso? O Roniquito!"

(Roniquito — Ronald Chevalier — era gênio e bebia pra burro. Morreu e deve estar se propagando aí em alguma plantação de malte na Escócia. Roniquito era um filósofo raivoso que vivia junto do Tom, amando e sacaneando ele e todo mundo.

Dizia: "Tom, você já deve ter ouvido falar de Ludwig von Beethoven, certamente, que compôs o Quarteto de Cordas nº 33?" "Sim, Roniquito", respondia o Tom. "Então, você é um merda, Tom."

E o Tom tocava flauta. Ele tinha se separado da mulher e estava tão doído que vivia de bermudas, tocando flauta no Antonio's.)

Uns tocam flauta e cavaquinho. Houve uma época em que o Tom tocava flauta e "roniquito".

Aí, o Tom bebeu o último gole e sumiu. E eu pude ouvir o Zé Lewgoy, que estava falando de um filme inacabado com o Charles Laughton e Merle Oberon: "Eu, Claudius, o Imperador."

E eu tive um alívio: que se dane o Brasil, feito de escrotos e egoístas, que se dane esse lixo em reciclagem, que se dane essa coisa goyesca e suja, esse teatro de pornografia da política que eu tenho de resenhar.

Que se danem esses boçais; o DNA com o tempo vai reintegrá-los na substância e pronto. Tenho que achar o Tom e morar com ele, na natureza.

E saí pela porta, no Leblon. Corri até a praia e pude então erguer vôo e olhar o país do alto, ao lado do morro Dois Irmãos, a pedra alta do milênio, vendo o DNA se propagar lá embaixo, na política.

Eu voava calmo, ali perto do urubu-caçador que dormia tranqüilo, com as grandes asas flutuando na perna do vento.

Eu Também Ganhei o Oscar de Melhor Filme

"I *would like to thank the Academy for this award*!" — eu comecei. Meus olhos enxergavam uma difusa platéia dourada de louras e galãs, bustos lindos, jóias, *smokings* e o brilho de centenas de egos felizes. A luz batia em meus olhos já úmidos de emoção.

Um riso se abriu na minha boca e eu continuei gaguejando, pois eu queria agradecer à Academia de Hollywood o Oscar de "melhor filme estrangeiro" que eu recebia.

A meu lado, Sharon Stone, que me tinha dado a estatueta, como um falo dourado entre suas mãos de unhas rubras, me olhava com curiosidade e me dando uma leve bola (achei em meu delírio).

Foi aí que eu falei: "Eu queria agradecer as coxas de Dorothy Lamour que eu vi, pequenininho, no Cine Palácio Vitoria no Rocha, no filme *Road to Morocco* e que me deram, de um só golpe, a imagem do sexo e do cinema."

Notei que a platéia se mexeu, divertida com a cultura cinéfila do latino aqui. Eu estava diante do poder dourado do mundo. Não os tanques e as bombas, mas o poder da beleza americana, a matéria de que são feitos nossos sonhos. Do fundo subúrbio carioca eu chegara até ali, perto do Mel Gibson, do Al Pacino, da Sandra Bullock. Maravilhado, falei para a platéia que eu estava grato por ser aceito ali no Primeiro Mundo e que isto era um sinal de que o Brasil entrava no concerto mundial de nações.

Mas, o estranho é que a minha cabeça ficava pensando — não sei por quê — no bar da Líder. O bar do laboratório Líder, para os que não sabem, era o botequim escroto, sujo, ali na rua Álvaro Ramos, onde nasceu o Cinema Novo entre chopes e teorias, nos anos 60. Pois eu olhava para a platéia do Dorothy Chandler Pavillion e via os dois garçons do boteco, um espanholzinho baixinho e um cearense, com Leon, Joaquim Pedro, Ruy Guerra ao fundo, discutindo cinema.

Afastei a imagem da cabeça e continuei:

"Eu queria festejar a integração de duas culturas, porque o Brasil..." Notei um tremor impaciente nos lábios de Sharon Stone a meu lado, mas fui em frente. "O mundo é hoje um grande globo, sem barreiras de língua ou economia." Percebi que, na coxia da direita, o Christopher Reeves estava sorrindo para mim, na cadeira de rodas, como em 1996. Só que, este ano, já conseguia mover os braços.

Vitória da obstinação americana, que ele vinha mostrar ao mundo.

Me animei e continuei. "Tudo começou com uma câmera na mão e uma idéia na cabeça, jovens querendo fazer uma nova linguagem para as platéias, longe do 'final feliz' americano..." Mas, se eu estava em pleno "final feliz" americano, ali, brasileirinho ganhando o Oscar, por que eu fui remexer nestas velhas coisas? Sim (hoje eu vejo), era inveja daquela riqueza toda onde eu era o mais pobre, de *smoking* alugado.

Continuei falando, mas eu já não via as dentaduras brancas que faiscavam na platéia. Os rostos de Emma Thompson, Sally Fields não sorriam mais. O busto de Geena Davis arfava, nervoso.

O show tinha de continuar.

Os refletores brilhavam em meio a um grande silêncio.

Não sei por quê, voltou o bar da Líder na minha cabeça. E mais, em grande detalhe, o açucareiro do balcão, com o açúcar duro no bico e umas moscas passeando em cima.

"Hollywood precisa de nós! Nós somos o novo! *Make it new*!", gritei. Senti que aquela era a hora de trazer a mensagem do Cinema Novo, de Glauber Rocha: "Minha gente" — continuei — "*my people...*" Percebi que o Anthony Hopkins ria com ironia na primeira fila; busquei o rosto de Tarantino, afinal um jovem rebelde. "*We had a dream...*" — parodiei Martin Luther — "tínhamos o sonho de acabar com vocês de Hollywood, que eram os gringos, os imperialistas! Ah! Ah. Mas, com o Oscar, hoje sei que somos todos irmãos!"

Notei um silêncio tenso na platéia. Sharon Stone não estava mais a meu lado. Tinha se materializado ali um galã forte e alto que me sorriu friamente e mostrou-me o relógio. Os 45 segundos tinham passado, como avisava a luz que piscava ao fundo. Era o sinal para eu parar. Mas, eu tinha ainda que agradecer a mais gente. Fiz um gesto bem brasileiro de "quebra meu galho" e sorri, com jeitinho.

Eu queria agradecer a tanta gente que havia me ajudado a produzir este filme, *A Saga do Caranguejo* (*The Crab Strikes Back*), e comecei a falar bem rápido os nomes. Enquanto eu falava ("Quero agradecer a Cacá Diegues por ter me mostrado *Lola Montes* e *La regle du Jeu*), por baixo, o meu inconsciente desfiava outras gratidões.

Lembrei de meu avô me levando para ver as luzes de néon da cidade, lembrei de Humberto Mauro me ensinando que "cinema era uma cachoeira". O segurança-galã me apertou o braço, com dedos de aço, quando eu falei que era uma pena que Orson Welles não tenha ganho Oscar, nem Chaplin. Ficou um clima de gafe. E eu lembrava ainda de

Vidas Secas, da arquibancada de desdentados de *Garrincha*, tão diferente do público lindo que me olhava, eu lembrava de Oscarito, Grande Otelo.

Na minha frente, a luz piscava como um alarme. Eu não conseguia parar. Ao longe, eu vi o Stallone comentando algo com o Van Damme, como quem diz: "Vou dar uma porrada neste cara!...". Eu ainda dizia que era "lindo que Hollywood tinha se aberto para a miséria", quando vi que minha voz tinha sumido. Tinham cortado o som. E fizeram um *break*. Eu ainda tentei gritar: "Viva o povo brasileiro!", mas o segurança me empurrou para a escada do palco.

Na platéia, muitos se levantavam, irritados. Jack Nicholson gritou: "*Shut up, you sucker*!" (Cala a boca, babaca!) e eu entendi que meu vício nacionalista destruíra meu sonho de poder e glória. Eu via as atrizes que eu não comeria, os palácios de cristal ruindo. Ouvi alguém dizendo: "A gente dá uma colher de chá para estes bostas, em nome da globalização, e é isto que acontece!"

Ainda tentei me refugiar nos colegas de Terceiro Mundo que não tinham ganho prêmio, o documentarista do Burundi, o cineasta baixinho de Bangladesh; mas eles desviaram o olhar, enquanto eu passava, empurrado pelos seguranças sorridentes. Mesmo assim, saí de passo firme, segurando meu Oscar como um Coquetel Molotov. Em volta me sacaneavam: "*Go home, chicano! Fuck you, Sonia Braga*!", mas eu pensava na minha chegada ao Galeão, com o caneco dourado, aplaudido por meu povo.

O "Máskara" me fazia caretas, o canastrão do Robin Williams imitava a Carmen Miranda atrás de mim, enquanto eu passava, empurrado pelo segurança-galã, que parecia o Brad Pitt. Eu ia de cabeça erguida sob as vaias, segurando o meu Oscar que, estranhamente em minhas mãos, parecia o açucareiro do bar da Líder.

Filósofo Malandro não Marca Bobeira

O vento da globalização apavora os pensadores brasileiros que, em vez de abrir os olhos para o povo, fecham-se em certezas antigas. Como seria o diálogo entre um malandro carioca e um pensador paulista?

Fogo Paulista ou pinga carioca? — perguntou o português do botequim.

— Água mineral, sem gás — respondeu o filósofo. — Eu acho a globalização da economia uma farsa...

— Cara, vamos botar a bola no chão — disse o malandro metido a besta (levava uma navalha no bolso e as idéias na cabeça). — Vocês, intelectuais nostálgicos, falam da "globalização" do mundo como se fosse um complô contra vocês... Claro que há uma globalização da economia, sim, gente boa, e não tem choro nem vela. Se o capitalismo virou este cassino de merda, vocês têm que modernizar suas formas de luta. Em terra de sapo, mosquito não dá rasante.

— Mas o homem é o sujeito da História — disse o filósofo.

— Pô, intelectual que não come ninguém é fogo!... Você está é com saudade das ilusões perdidas. Vocês estavam "numa" de que tinham controle sobre o mundo. Controle porra nenhuma, tinham apenas a "sensação" de controle... Vocês falam da "globalização" como se fosse uma transação planejada pelos grandes capitais. Um dia, a IBM disse para a Coca-Cola e a GM: "Aí, ó... Vamos enrolar esses otários subdesenvolvidos com um papo de 'globalização'?". Não é nada disso, ninguém planejou nada; nem os liberais, nem Wall Street, ninguém. Vocês nem parecem que leram Marx... Quem está fazendo isso, não leva a mal não, é a "marcha material do mundo", são as mercadorias e seu fluxo, essas coisas ruins que o mundo "fetichiza", essa fonte de "reificação" do homem, gostou dessa?

— Mas não podemos aceitar esse elogio produtivista que os marxistas desenvolvimentistas fazem... — redarguiu o filósofo, tomando água mineral.

— Quer uma caninha? — disse o português.

— Que caninha, ô, galego? Bota um chope — disse o malandro. — Intelectual sai do papo materialista para o papo voluntarista. A realidade não são as idéias, cara. A realidade é um buraco mais embaixo. Vê se entende: não é a realidade do mundo que fugiu de um modelo teórico. O modelo teórico é que não deu conta da complexidade das coisas. Eu sei que vocês ficam na maior bronca, porque a função de vocês ficou meio obscura. Tudo bem... mas se segura, ô Hegel de Higienópolis, permita-se "não" saber das coisas um pouco. Dá um tempo, gente boa; o mundo vai se revelando aos poucos, não com a clareza que vocês achavam que havia antes. Graças a Deus, aliás. Abrir-se para o fracasso não é capitulação; é o primeiro passo para a sabedoria, sacou?

— Vocês são deslumbrados pelo mercado — obtemperou o filósofo...

— Sabe por que eu acho o mercado "uma boa"? Porque o mercado louco criou uma brecha na harmonia do discurso "progressista" acadêmico. O mundo abriu um buraco no seu universozinho mental. O mercado global enfiou um gostinho, um "tempero" de indeterminação em sua reflexão paranóica e totalizante.

— Ninguém está falando em sínteses nem em totalidades — replicou o filósofo, já nervoso.

— Não vem com esse papo não, que eu te manjo. Vocês se fingem de humildes, mas logo tentam retomar o "controle" da História. Vocês louvam o "fragmentário", como se fosse uma nova "unidade"! Tu não me enrola, não. Você odeia o indeterminado, o não-sentido. Você fica falando em "rizoma", em Deleuze, mas você curte mesmo é um bom "universal"... Veja o jeito que você se veste...

— Que que tem? Uma bela calça de tergal e uma camisa de *voile* estampadinha — tremeu o filósofo.

— Bota uns ovos de codorna aí, português! — disse o malandro, impaciente. — É claro que o mundo está difícil de sacar. Jogo duro, meu filho! É claro que não dá para cair num neodarwinismo, tipo "que se danem todos", lei do mais forte, aquele lero de "*survival for the fittest*" do Spencer, gostou do inglês? Tudo bem, tô contigo... Não dá para cair também num liberalismo sem-vergonha. Não dá. Niilismo também é coisa de viado. Nem dá para entrar numa "utopia regressiva" tipo neomaoísmo zapatista mexicano, como está o PT, tentando descolar um programa político do "lumpesinato" do MST.

— Então, o que fazer? — retrucou o filósofo, suando frio.

— Sei lá! Ninguém sabe. Mas, pelo menos, sei o que está acontecendo. Se liga: o que está havendo não é a vitória da sociedade liberal, não. É o descontrole político da economia, se é que já houve algum. O maior bode é uma economia sem sociedade. A paz dos anos keynesianos já era, assim como o idílio socialista. Ninguém segura as salsichas gigantes. Ninguém segura o cassino dos *yuppies* antropófagos com suas gravatas envenenadas e seus suspensórios sinistros. Este é o grande bodão negro: o capitalismo financeiro sem produto, rolando aí nas bocas do boi. Quer ver outra bosta? O assassinato da Europa e seu pensamento humanista pelo triunfo do pragmatismo de origem inglesa, travestido nesses "serviços americanos". E aí? Vai encarar? Ninguém encara. E diante dessa merda toda de escrotidões financeiras e informáticas, tu vai ficar chorando na teoria e se lamentando do "fetichismo" das mercadorias no capitalismo? Ora, me poupe... Estamos todos "reificados", já dançou geral, mermão... Você acha que eu sou um otário deslumbrado por um produtivismo liberal enganador? Pelo amor de Deus... Não sou babaca...

— Por que na *Dialética do Iluminismo*...

— Que é isso, cara? Adorno? Não gostava nem de *jazz* nem de cinema, achava que a cultura acabava em Beethoven. Gente fina é o Walter Benjamim, aberto para o futuro. O que eu acho careta é essa divisão do "Fla-Flu" que o mundo intelectual virou: de um lado Fukuyama, de outro Robert Kurz. "Ah... a História acabou..." "Ah..., não acabou nada..."

É o seguinte, saca essa: só uma reflexão domada pelos fatos, só uma razão no ritmo das coisas abrirá algum caminho. Estamos cegos, estamos numa "aporia", gente boa. Ninguém sabe como fazer um dique humanista contra a ferocidade do capitalismo financeiro. Ninguém. Sabe qual é a única resposta política que rolou até agora? A China, meu chapa! Ééé...! Autoritarismo político com abertura econômica!... Ahhh!... Pau puro! A China, crescendo 10% ao ano, bala na nuca dos dissidentes e cheia de *yuppies* de celular. Como disse o Touraine: "É a China que vai chupar Hong Kong, e não o contrário." Algo próximo de um fascismo de mercado, "fascismo de resultados", sem nenhuma grandeza humanista de intelectuais.

— Vai beber o quê? — perguntou de novo o português.

O filósofo tremia.

— Me dá aí um Fogo Paulista e... um pastel! — berrou o filósofo, finalmente.

— Falou!... — riu o malandro.

O Cinema é uma Misteriosa Cachoeira

Muita gente chega para mim e diz: "Como é? Você não vai voltar a fazer cinema?" "Sei lá", respondo. E penso: "Que cinema? Comercial, americano, metafísico, político, nacionalista, de amor, experimental? O quê?"

Tenho vontade de filmar de novo, mas, para fazer alguma coisa que fosse tênue e "útil", melhor dizendo, alguma coisa que fosse um mistério para sempre, uma alegria para sempre, um cinema que não comerciasse com a realidade dura do sistema, que tocasse em alguma coisa impalpável.

Nos anos 60, todo mundo buscava um cinema essencial, o chamado "específico fílmico", que uns achavam que estava em Eisenstein, outros em Murnau, outros em Dreyer.

O cinema era a "síntese das artes", e não esta violência sórdida que está aí. E todo mundo pensava: "Qual é a alma do cinema? O que é o cinema?"

Sempre que me perguntam isso, eu me lembro de Humberto Mauro, que conheci já velhinho.

Para Humberto Mauro, o célebre cineasta-fundador dos anos 20/30, "cinema é cachoeira". Por quê? Vou contar.

Quando ele fazia seus filmes de fundo de quintal ainda em Cataguazes, depois na Cinédia no Rio, todo amigo que ele encontrava na rua dizia para ele: "Humberto, meu querido, você precisa é ir ao meu sítio lá em Correias, ou lá nos cafundós, filmar a cachoeira que tem lá! Você precisa ver que cachoeira!" Eo Humberto Mauro ficava com aquilo na cabeça: "Por que querem que eu filme cachoeiras?"

Um dia, ele estava dando uma palestra para uns cinéfilos de um cineclube do interior, quando, já na estação, atrasado para pegar o trem, um garoto agarrou-o pelo paletó e perguntou-lhe sobre o grande enigma: "Seu Mauro, afinal de contas, o que é a essência, a 'alma' do cinema?"

E o velho Mauro, correndo atrás do vagão que partia, deu a grande definição, no meio da fumaça da locomotiva: "Cinema, meu filho, é cachoeira!"

Hoje ninguém pergunta mais isso. Mas os jovens (e velhos) cineastas deviam estudar mais.

Muitos têm uma familiaridade grande com a imagem, geralmente da publicidade e do clipe. Mas muita gente boa pensa que cinema começou com Wim Wenders e que estética de filme é lente grande-angular com contraluz azul. Cinema virou essa coisa estratificada por Hollywood. Ou esse videoclipão.

Pior. Tantas são as formas de reprodução da imagem, tanta é a virtualização da realidade, que talvez a pergunta devesse ser feita por alguém na tela, algum fantasma projetado na tela nos perguntando, invertidamente: "Ei, você aí!... O que é a realidade?"

E nós diremos: "Realidade é essa coisa que está aqui do lado de fora de nosso corpo, fluindo sem parar. Realidade é essa ilusão dos sentidos, esse fluxo de signos. Realidade é essa incessante explosão de DNA que vai gerando vida, essa programação de formas que tem de se reproduzir e que nós perseguimos, tentando interpretar."

Acho que o cinema perdeu sua magia de antes, porque, quanto mais se aperfeiçoam as maneiras de penetrar na realidade, mais distante ela fica. Quanto mais se fazem descobertas, mais fundo é o túnel do mistério.

Hoje, vemos que a máquina do mundo, quanto mais aberta, é mais vazia e misteriosa. A fome de decifrá-la, digitalizá-la, matematizá-la descreve-a, mas não a condensa.

Por isso a idéia de cachoeira é a metáfora melhor de cinema. Essa imagem "heraclitiana" de uma água que não pára de fluir é ótima para definir nossa arte do século.

Por isso, os amigos de H. Mauro, na sua sabedoria para o óbvio, diziam no botequim: "Vai lá filmar minha cachoeira!" Só o movimento tem de ser filmado. Só as cachoeiras da vida têm de ser retratadas na busca de alguma verdade.

Não há uma realidade que finalmente pare e se configure. Buscá-la, tanto no cinema como na filosofia, tanto na arte quanto na política, é fracasso certo.

Esse foi o aprendizado do século 20. Tentou capturar o vasto e incessante universo em fórmulas que o esgotassem e nada ficou preso. Por mais que queiramos que o cinema seja a arte de captar a vida, o cinema é a arte da morte.

Sem bodes, irmãos, mas vejam como Hollywood é um doloroso cemitério de estrelas. É um cemitério de beijos e olhos e corpos embalsamados no tempo da película. Vejam como Fred Astaire dança no ar do nada, vejam como James Dean já prefigurava a própria morte na interpretação de sua melancolia.

Como dói se apaixonar por uma morta, como eu me apaixonei por Brigitte Helm em *Metropolis* e como amei as pernas perfeitas de Louise Brooks, numa necrofilia de sala escura.

Mesmo num musical, o cinema filma a morte; mesmo no filme de ação, quando todos tentamos burlá-la numa ginga, num drible, ela não deixa. Como é estranho que Gene Kelly tenha morrido, aquele anjo de juventude, como pôde Kirk Douglas ter um derrame e gaguejar na festa do Oscar, como pode o nosso Super-Homem estar na cadeira de rodas?

O trágico do cinema é sua maior verdade. A pintura e outras artes tentam exorcizar a morte, todas as artes fazem isso. Mas, nelas, ninguém se mexe. A barra é mais leve. No cinema não há perdão. Ligou a câmera, lá está a velha morte nos olhando.

Henri Bergson, ao ver o "cinematógrafo" pela primeira vez em Paris, deu a grande definição: "O cinema é importante, para que se saiba no futuro a maneira como os antigos se moviam."

Não há política ou arte ou filme que dê conta do implacável fluir dessa cachoeira que se chama "vida". Toda a tragédia dos séculos tem sido a tentativa de trancar o movente em fórmula fechada, de alcançar um céu estático, um dia em que tudo se resolva.

O paraíso seria um lugar imóvel, onde não houvesse a morte e, portanto, nem cinema. Não há "cinema paradiso" (talvez por isso o filme seja tão ruim).

Hoje estamos todos na saudade desse passado. Queremos voltar, principalmente os intelectuais e outros religiosos, a esse tempo em que a morte seria dominada pela técnica, em que o paraíso fosse planejável.

Não há isso. Vamos buscar filmes mais complexos, menos mecânicos.

Somos uma cachoeira olhando a outra, e todas as nossas ações no mundo têm esse fracasso fundamental: por mais que olhemos no fundo das coisas, jamais veremos um fim ou um início. Por isso, a cachoeira é a melhor definição de cinema, ou da vida.

Borbulham Novos Tipos da Loucura Nacional

Quando a gente pensa que se aquietaram as borbulhas, se aveludaram as rugosidades, cicatrizaram-se as escaras, secaram as cataporas, quando a gente pensa que finalmente o rosto da loucura nacional está configurado, novos tipos saltam para a vida e para a fama. Assim como não há o fim da História, não há o fim da babaquice.

Há sempre que atualizar as novas caretas, as lingüinhas pendentes, os sacos puxados, as babas bovinas, os pisca-piscas de olhinhos revirados, as varíolas morais, as testas curtas, as barrigas trêmulas, as bundinhas para cima, os sorrisos complacentes. Aqui estão:

- Neomaoístas — Líderes da Longa Marcha. Exploram os sem-terra. Estão eufóricos com o início da revolução maoísta que acham que já começou. Tentaram armas e dinheiro da China e da Albânia. A primeira recusou e chamou-os de "velha esquerda"; a Albânia roubou-lhes a carteira.
- Governadores sitiados — Vítor Buaiz e Cristóvam Buarque. Reféns do PT. Cometeram o crime de ganhar eleições e de querer governar. Traíram o lema da velha esquerda: "Só a derrota enobrece." Não têm coragem de mudar de partido. Seriam excomungados pela Igreja Apostólica Albanesa.
- Escandalizados de carteirinha — Seres sem partido, sem cultura, progressistas inativos, que ficam "horrorizados" com a zona nacio-

nal. Escrevem artigos protestando, sonham com uma reforma moral para impedir as reformas do Estado, as verdadeiras. Subtipos: intelectuais de manifesto, neopatrulheiros e artistas engraçados. Esperam o caos explodir para posarem de "sérios" pedindo "providências". Jamais atacarão a velha esquerda. Têm medo de ficar sujos com a Igreja Apostólica Albanesa.

- Senadores virtuais — Foi rompida em "espelho infinito" a tênue fronteira ficção-realidade. Assim como o senador Caxias era o mais chato e mais broxa (que triste visão de um progressista, hein Benedito?), Suplicy e Benedita foram ao enterro de Carlos Vereza. Abre-se debate: "O PT é real ou imaginário?" Tarso Genro lança um estudo esta semana: "Existimos ou não?"
  Isso depois da análise de Chico Vigilante sobre o "18 Brumário de FHC". A partir desse precedente, teremos Patrícia Pillar invadindo o Pontal de Paranapanema, teremos Chiquita de senadora suplente, teremos "O Rei do Gado" comprando as terras falidas de Olacyr.
- Homens "tchan" — Estão em toda parte, com correntes de ouro falso, sorrisos pilantras, camisas de *voile* estampado e dançando pagodes e exibindo o "tchan". É a volta de Simonal, o retorno da pilantragem. Perguntar não ofende: Os bons músicos brasileiros não vão fazer nada contra o É o Tchan? Talvez um atentado, veneno de rato na boca da garrafa, ou fuzilamento simples.
- Fernando Empenhado — O que seria FHC na questão da saúde, da crise do déficit comercial ou na questão dos desmatamentos da Amazônia, se tivesse o mesmo empenho que teve para a emenda da reeleição.
- MR-OQ (Movimento Revolucionário Orestes Quércia) — Ex-guerrilheiros do antigo MR-8, que lutavam pelo socialismo e pela libertação do homem do reino da necessidade. Hoje são a tropa de

choque de Quércia, o Grande Timoneiro que, num gesto revolucionário, quebrou São Paulo e seu banco reacionário, mostrando a sujeira do capitalismo em suas próprias mãos.

Acreditam que Quércia é uma espécie de prótese entre JK e Adhemar de Barros, com o DNA de Che Guevara e toques de sub-Jango.

- Amantes da Mãe Pátria — Vivem à custa de defendê-la. Não sabem por que nem como. Basta um rosto grave e uma ruga na testa, como se estivessem defendendo a mãe. Rende lucros políticos. Próximo refém de oportunistas nacionalistas.
- Reacionários-progressistas — São a favor de tudo, em tese. Deputados e senadores a favor da reforma agrária, da desestatização, contra os massacres. Na hora de votar, alegam ciúme do governo e fogem chorando para as bases.
- Progressistas-reacionários — São contra tudo que o Executivo quer. Há 20 anos, só falavam em reformas de base. Hoje, só pensam nas "bases", sem reformas.
- Funcionários E.M. (ou *cyborgs*-barnabés) — São do Esquadrão da Morte corporativista. Nova onda. Partem para matar o presidente e ministros que ousem mexer no Estado. Distintivo: caveira e dois ossos. Descerebrados, recebem ordens de sindicalistas-oportunistas.
- Proprietários da dor ou latifundiários da bondade — Líderes oposicionistas que não podem ver um caixão de sem-terra sem correr para segurar as alças com caras compungidas.
- "Cidadãos-guarani" — Membros da futura reforma agrária zapatista, que se fará contra as modernas soluções agrícolas, viverão com quatro acres e uma mula, comendo paçoca na porta da palhoça.
- Ferozes juízes do mal — No Tribunal de Justiça de São Paulo, declararam culpados os terríveis 111 mortos do Carandiru (ver abaixo).

- Vítimas culpadas — Intoleráveis chatos que, por sua impertinência e rebeldia, levaram pobres PMs a chaciná-los involuntariamente na Casa de Detenção.
- Sem-terra suicidas — Investigações militares concluíram que muitos sem-terra se suicidaram por crise depressiva, uma doença chamada "melancolia dos campos". Mataram-se com as próprias foices, segundo laudo dos coronéis e juízes. Causa: angústia existencial.
- Múmias do Araguaia — Massacrados da ditadura que voltam à vida, querendo participar por isonomia das indenizações que o Estado-mãe dá às vítimas do regime militar.
- Bispos economistas — Cardeais e bispos em contato direto com Deus *on line*. São assessores financeiros do Todo-Poderoso. O Espírito Santo os informa sobre macroeconomia. Vivem peruando na equipe econômica. Deviam ser assessores do Banco Central. Talvez os funcionários E.M. os respeitassem.
- Democracia de hímen complacente — Regime que tem a famosa "Casa da Mãe Joana" como modelo político.
- "Caras-pintadas" de aluguel — Entre 13 e 30 anos. Ardentes, idiotas e masoquistas. Pronta-entrega para passeatas, privatizações e protestos em geral. Aceitam cartão de crédito e quentinhas dadas por governadores.
- Buroguerrilheiros — Seita que está se armando em Brasília em *bunkers* equipados com armas químicas feitas com gás natural da Petrobrás. Jogarão no Congresso na votação das reformas.
- Neopatrulheiros — Detetives especializados em adultérios, desfalques e "desvios de direita" dos outros. Identificam uma cooptação em segundos.
- Neocínicos ou ladrões de estimação — Fisiológicos há tantas legislaturas que já ganharam uma espécie de jubilação da imprensa, que

os respeita e ouve. Seu descaro é bem aceito e quase doce. São o contrário dos "intelectuais suspeitos", que, justamente por não parecerem desonestos, talvez sejam.

- Articuladores do impossível — Seriam os agentes da "política do possível". Fariam o milagre: conciliar interesses de evangélicos e petistas, ACMs e Brizolas, Barbalhos, Bolsonaros e Amazoninos. Procura-se um.
- Competentes-impotentes — Técnicos e intelectuais de alto nível no Executivo. Não conseguem trabalhar. A Constituição não permite.
- A Bunda — A mais nova redescoberta da nacionalidade. Trazida por Carla Perez, a loura do "tchan", ao som da dança do bumbum, voltou a ser o símbolo da grandeza nacional: mulheres abaixadinhas como se fossem cachorras. Mais um orgulho de nossa cultura. Já tivemos Villa-Lobos, a Bossa Nova, o Tropicalismo; agora temos a dança do bumbum, grande tema também da venda de cervejas no verão.

Temos também uma longa lista de despossuídos: os sem-terra, os sem-teto, os SMN (sem-merda nenhuma) e os "sem-vergonha".

E este vosso criado, que é do movimento dos "sem-saco".

A Lista das Coisas que Eu Levo da Bahia

São as seguintes as coisas que eu levo da Bahia: a arma de ferro de Oxossi que ganhei no Opó Afonjá de Mãe Stella e, mais que isso, o momento em que uma iaô lavou o símbolo do orixá com água e ervas, murmurando palavras em iorubá.

O vento que sopra o tempo todo em Salvador unindo as pessoas no mesmo banho de ar, não se vendo, portanto, as apressadas figuras solitárias de São Paulo e Rio, mas sim uma comunidade se movendo em conjunto, como uma grande dança à beira-mar.

Uma garrafa de banho de ervas. O mar que vai se derramar (como a gravidade sustenta esse grande olho verde que treme?). A luz tão intensa que não conheço outra, a não ser a da Grécia, que não conheço.

A súbita compreensão do poema máximo de Rimbaud: "*Elle est retrouvée! / Quoi? L'eternité. / C'est la mer allée, avec le soleil*" ("Ela foi encontrada! O quê? A eternidade; é o mar que se foi com o sol, na Bahia!"). A certeza de que o Oriente é aqui também.

As ruas do Cairo e as ruas de Salvador. Egito e Baixa do Sapateiro. A gruta de Milagres, no sertão, onde Glauber filmou o *Dragão da Maldade* há 28 anos, onde até hoje ressoa sua voz.

As crianças calmas e felizes nas oficinas do Projeto Axé, onde todos os prefeitos do Brasil deviam vir estudar. Os negros dentro das roupas de soldados, bombeiros ou garçons, mas sempre negros, mais além das roupas.

Os olhos do mico-estrela espantado na estrada, e a ema e os cágados para vender, perto dos granitos imensos de Milagres. A louca velha vendendo água, berrando ao lado da grande rocha.

A gruta que te engole, a pedra que cresce. Os meninos do sertão, inteligentíssimos, contando filme de caratê, a televisão na caatinga. As casas imensas e fundas entre o quintal e o mar, cheias de "mininos" agregados, "minino, vá pegar a cajuada!".

Os cajus vermelhos e Kodak, cajus-Kodak. A impossibilidade de ver todo o barroco nas igrejas — o barroco é oco, não tem centro. As caras *sexy* dos anjinhos como destaques no Carnaval sagrado da igreja de S. Francisco.

A cidade de Itaparica, onde fiz meu primeiro filme há 26 anos, revisitada. As pedras secas sem limo, a cantaria, as cornijas, as cimalhas, as vigas secas, o travejamento dos muros com óleo de baleia, os restos de fachada com datas remotas, o rumor de famílias que já se foram, as 12 cadeiras altas e negras dos orixás e dos eguns, o altar de Xangô onde bati cabeça, o pano sagrado amarrando a árvore imensa, os velhos retratos das ialorixás do passado: mãe Aninha, mãe Senhora, mãe Ondina em preto-e-branco, olhadas por Gilberto Gil, e ao longe risos de crianças e um rádio com *rap*.

Os vegetais, os minerais, os animais plantados no fundo dos barracões do candomblé, sementes de axé, a força sagrada entre todos os seres da natureza.

O sorvete da Ribeira que eu não tomei, mas vi celebrado na língua dos outros. A cidade doce, áspera e picante, como o doce de "amoda" que Paloma Amado recomenda.

As árvores moldadas pelo vento, esgalhadas, em gogó, em "s", em "x", em "medusa", esculpidas diante do mar. A grande arraia-jamanta que eu vi pular em câmera lenta, sozinha no alto-mar.

O grande esquartejamento dos ex-votos do Bonfim, pernas e braços e cabeças, como um fim de batalha de madeira. A luta entre o barroco e o clássico dentro da igreja da Sé.

A luta entre o barroco e o clássico, nas vitrines das jóias de ouro e ametistas, cobras e cavalos-marinhos de jade, na loja do casarão seco e grave do século 17. O alívio de se ver longe da política de Brasília.

Vivaldo Costa Lima e Tenório Oliveira Lima tomando caipirinha de lima e recitando Jorge de Lima: "Há sempre um copo de mar para um homem navegar."

O chapéu panamá de Tom Jobim na parede da casa do Caetano, e o outro Tom, na casa da Paula, quase chegando na casa de Caetano.

Acarajé e sol, num vento de *reggae* de Bob Marley, perto de fachadas fervendo de sol, vistos através do Ray-Ban.

A espantosa beleza da arquitetura colonial perto da escrotíssima pós-modernice da neo-Bahia. Graças a Deus, ecos de Lina Bo Bardi em toda parte.

A "Moqueca de Estrelas", nome de poesia alternativa e de restaurante novo. Duas estrelas cadentes, um satélite e a impressão de ter visto um disco voador, dentro da escuna.

O armengue (nome baiano para "esculhambação"). O armengue poético: as naturezas mortas dos restos de frutas e peixes e merda no chão e os corpos nus cheirando na rampa do Mercado.

O armengue desnecessário: as fachadas sem pintura no alto da montanha, a zona geral, a escultura de Mário Cravo, gorda, para sempre horrenda no tempo, o desejo de dinamitá-la, a burguesia gorda, a desesperante dança da garrafa e do "tchan", do bumbum, o horror do pagode, tocando em toda parte, a volta da pilantragem da música, o pagode machista, sujo, canalha, tentando roer a beleza extrema do Ile-Aye.

O alegre país de Carlinhos Brown no Candeal, templo egípcio mixado com Jamaica, uma democracia direta com música e corpos felizes, sem intermediários.

O plebiscito vivo, espontâneo, da festa do Bonfim. O ensaio do Olodum: nada do Carnaval frenético e perverso dos bailes sacanas do Rio — uma sexualidade ondulante, lenta, calma, sem a pressa de pecar.

A onda de volúpia, calma e luxo percorrendo todos os corpos lindos de negras e negros. Os negros baianos, orgulhosos da sua cultura, tão diferentes dos negros humilhados do Rio.

A necessidade de exportar esse orgulho para o Brasil todo. As favelas batidas de sal, miséria melhor (se é possível) do que as pavorosas favelas de São Paulo, esmagadas entre ratos. As fitas coloridas do Bonfim no vento ("*ribbons in the sky*", Stevie Wonder na Barra).

E a hora de partir, e a corrida ao aeroporto, saudades da Bahia já, a volta, o Boeing e a lembrança dos cheiros.

Cheiro de dendê, cheiro de esperma, cheiro de Rio, cheiro de Mangueira, cheiro de Recife, cheiro de Belém, cheiro de Carmen Miranda, cheiro de Walt Disney, cheiro de Caymmi, cheiro de sargaço, cheiro de Nietzsche, cheiro de urina.

Vermelho, amarelo, verde, preto. Comprei um gorro dessas cores que levo comigo. Carrego você comigo, Bahia, como o Carlos Drummond carregava uma tarde de maio, como os primitivos carregavam ossos de antepassados.

O Rio de Janeiro é a Lama, é a Lama

Há séculos que a tragédia das chuvas e desabamentos ressoa nas vozes dos cariocas sofridos.

O que devo escrever sobre a catástrofe das enchentes do Rio? Nada. É melhor não escrever nada. Para quê? Há 40 anos eu assisto a esta vergonha viciosa: calor, chuva, lama, choro, queixas, esquecimento e samba. Samba! E o Carnaval vem aí. Este ano o desfile devia ser cancelado. Ou, desfilar o *replay* dos "Ratos e Urubus" do Joãozinho Trinta, o maior momento do teatro brasileiro. É pau, é pedra, é a lama, é a lama.

E a alma? Michael Jackson veio à favela e previu a tragédia. Revolução mesmo seria Michael Jackson morrendo na enxurrada, todo cheio de gosma feito os fantasmas de "Thriller". Que diriam os americanos? Será que algum acontecimento ainda muda o mundo? Será que alguma tragédia conscientiza alguém? Como vai ser?

E meus filhos como é que ficam? Onde está meu filho, sargento, pelo amor de Deus?

Minha senhora, que quer que eu faça? Quem devo desenterrar? O menino ou o bebê? A senhora é quem escolhe, dona! Anda, diz logo, porra!

A consciência do trágico será somente um breve momento de *insight* sobre nossa condição social e que, aos poucos, se apagará? Como poderá a sociedade civil se organizar para combater esta situação de falência institucional do Rio?

De um lado, a esculhambação do poder público; de outro, o horror na mídia. Os jornais ficam modernos, manchetes ousadas, coragem gráfica, grandes fotos! Que adiantam meu escândalo, minhas lágrimas?

O Carnaval vem aí, mermão! Olha a Beija Flor aí, gente!

Pelo amor de Deus, soldado, meu marido está ali embaixo da pedra. Sinto muito, minha senhora, vem aí outro pelotão, eu não sou "dois". Pelo amor de sua mãe!

Por que não houve aviso da Defesa Civil? Em qualquer lugar do mundo, a meteorologia avisa. Aqui só os trovões e os raios. Será que ainda vai ter Olimpíada aqui? Salto tríplice na lama, saltos ornamentais na merda, arremesso de bebês! Ah! Ah! Ah! Também, a vida para estes miseráveis é tão banal, tão pouco... É bom mesmo, morre logo tudo, que assim diminui a população carente. Viver para quê? Nessa bosta, é melhor morrer... De certa forma, as enchentes são um mecanismo de auto-regulação da miséria "malthusiana". Todo o estoque de argumentos já foi esgotado.

Já tentamos a acusação, os movimentos Viva Rio e Salve Rio, as passeatas, os quebra-quebras, o cinismo, o desencanto. Nada rola... O Rio só mudará por um movimento natural da matéria, meu caro.

Por que será que os bombeiros não me vêem? Será que pensam que eu já morri? Por que não tiram esta terra de cima de mim? Ninguém me ouve. Será que já morri?

Entre a mídia e as autoridades, o que sobrará? Nada. Daqui a pouco, ninguém lembra mais. É a lama, é a lama. Por que não privatizam o Rio? Dividiríamos o Rio em pedaços, em lotes-bairros. E venderíamos tudo para os japoneses, americanos, alemães. A Sony podia comprar o Dona Marta. A IBM compraria Copacabana. A Mitsubishi comprava Ipanema e o Leblon. Num instante, dava-se um jeito. A gente pagava imposto a eles. Muito melhor que pagar a esta putada que está aí.

Ole, olá, o Viradouro está botando para quebrar! Quem você acha que ganha? Salgueiro ou Portela? Por que o Marcello Alencar não volta dos EUA? Será que ele deu graças a Deus por estar lá e escapar da aporrinhação? Será que voltar a ser o Estado da Guanabara não resolveria? Ainda bem que eu moro aqui no 10º andar.

Será que a ciência não conhece alguma forma de ação para salvar a cidade? Quando começaremos a fugir? Será que um dia os cariocas vão ter espírito comunitário?

Olha, meu amigo, eu lembro das enchentes de 1966. Arrasaram tudo. Morreu gente paca. E sabe que não melhorou nada de lá para cá? Nenhuma Defesa Civil, nenhuma eficiência pública. Até piorou, porque naquela época, ahhh... lá se vão 29 anos... ahhh... casei, separei, fiquei meio broxa. Ah! Ah! Ah! Mas ainda dou as minhas bimbadinhas... ahhh... Mas como eu ia dizendo, o Rio era outra coisa... ahhh... Leila Diniz, ahhh... A Banda de Ipanema...

Mas meu amigo, acho até que naquela época era melhor, porque a putada, isto é, a comunidade, ainda não estava acostumada a grandes tragédias e ainda se emocionava com o drama do povo... Ajudavam mais, sabe? Cobertorezinhos para os pobres, muita madame nas ruas, jovens humanitários, ahhh... Outras épocas, meu amigo, o Zeppelin, o chopinho dourado... Hoje não. Hoje, a gente acostumou com o tal "mal do mundo", como é que dizem? "Pós-modernidade", não é?. Ahhh... Mas também, naquela época, em 66, havia muita ingenuidade... Hoje, estamos mais cínicos... Ahhh, bons tempos...

A gente corta a perna dele ou deixa morrer? Não adianta; o cara já está quase morto!... Fudeu, esse não tem mais jeito!...

Como ele sabe que eu estou quase morto? Esses PMs são mesmo uns irresponsáveis... Ora vejam, como podem me condenar à morte assim, friamente?

Você acha que vai ter clima para o Carnaval? Claro, cara, a alegria é sempre revolucionária! Este povo sempre sabe dar a volta por cima! Eta, povão valente que sabe esquecer as mágoas e botar para quebrar na Sapucaí! Olha a Imperatriz aí, gente!

Cara! Segura o bebê. Ô filho da puta, segura o bebê! Tu não é macho não? Fica aí chorando feito um babaca! Tu é pai dele, ô viado? Vai, porra, puxa o bebê! Puxa logo! Problema, deixar viado entrar na corporação.

Como a senhora se sente, assim, sem teto, sem nada? Espera um instante... Walter, entrou no ar ou não? Não sei para que gravar esta merda... Todo ano é igual. É só pegar no arquivo. O VT está ligado, já está no ar? Pronto, minha senhora, como se sente assim sem teto?...

O que me grila é ver toda esta potência vital assim desperdiçada, toda esta vontade de potência (*Wille zur Macht*) rolando os morros no lamaçal. O que mais dói em mim no mundo de hoje é ver um universo utópico indo por água abaixo. Santo Deus, não haverá mais esperança? Por que eles não me puxam para fora? O bosta do soldado mexe na minha perna e não puxa? Alô, alô! Aqui é o governador! O quê? Porra, nem celular funciona? Alô!?... Graças a Deus, que estou aqui nos "States". O Cesar Maia que se dane.

Mas, companheiro, você não percebeu ainda que o poder político perdeu a capacidade de mover a vida social? Esta insolubilidade não é só do Rio. Isto é um drama da modernidade. Só o mercado resolve isto. Não precisamos de proteção; precisamos é de produção.

Ora, que ingênuos vocês são... De certa forma o prefeito tem razão. O problema não é mais do "problema". É a ótica da solução. Não há solução conhecida para o Rio. Teria que haver toda uma revisão his-

tórico-antropológica de séculos de inércia. O problema não é do objeto; é do sujeito cognoscente.

Deixa então este bebê aí mesmo. Tudo bem... ele já era... Fala baixo, ô babaca, pra mãe dele não ouvir. Vai pegar o outro, aquele ali, aquele que está chorando ali. Vai logo, cara! Este aí mesmo! Ai, meu cacete! Todo ano esta lama e nego não se acostuma!...

Dezessete Teses para Ajudar a Auto-Análise da Esquerda

Em Vitória, reuniram-se representantes dos partidos da esquerda tradicional, para um seminário de autocrítica e projetos alternativos ao modelo atual. Essa reunião era fundamental para o Brasil. Aqui vão alguns tópicos que considerei essenciais para o debate das esquerdas:

1) Não culpar somente o mundo, perverso e liberal, pela perplexidade das esquerdas. Tentar uma autocrítica funda: "Onde temos errado no modo de ver o mundo? Como pudemos subestimar tanto a discrepância entre os objetivos grandiosos (vide 64, 68) e a ausência de meios práticos para atingi-los?"

2) Entender as causas da sabotagem de membros do PT a governadores do PT como Vítor Buaiz e Cristóvam Buarque. Entender por que o poder conquistado gera uma vaga desconfiança de "desvio de direita", mesmo em seus eleitores.

3) Analisar se o PT foi prejudicado ou não pelo "ideologismo" de intelectuais pequeno-burgueses, em contraposição à extrema novidade do sindicalismo de Lula no ABC em 70/80.

4) Avaliar se suportamos a idéia de "democracia" como a real tolerância de diferenças e ambigüidades, por vezes até "irritantes". Não es-

taremos usando ainda "democracia" como uma palavra tática, "burguesa", como nos tempos do leninismo?

5) Como lutar contra os perigos de um liberalismo selvagem, sem achar paranoicamente que ele é um complô de homens "maus" tramando em Washington contra nós? Como evitar a "teoria conspiratória" da História?

6) Entender que política se faz dentro de um "mundo real brasileiro", feito de vícios coloniais, de heranças ibéricas. Velhos hábitos culturais marcam nosso caráter, além da economia e ideologia. Ver em que medida esses vícios atacam a própria esquerda. Vide: *Raízes do Brasil*, de Sérgio Buarque de Hollanda.

7) Entender que pode haver progressos materiais na história torta (mas concreta) do mundo, que é incontrolável e implanejável. Até casual. Ex.: ditadura militar gerou o ABC.

8) Como trabalhar pelo progresso, tendo de abandonar a idéia superada de que o "homem é o sujeito da História", como pensavam os socialistas utópicos? Como ser progressista sem ser voluntarista? Ou seja, como casar a luta política com a invencível circularidade desordenada do mundo?

Como fazer um programa "de esquerda", sem a idéia (inviável hoje) de "revolução"? Como fazer projetos sem cair em utopias regressivas e nostálgicas?

9) Como parar com a idéia de que sutileza é "frescura pequeno-burguesa" e que uma sadia obviedade ignorante é sinônimo de "seriedade ideológica"? Ou seja, que dúvida é "hesitação pequeno-burguesa" e que complexidade é "frescura"? Ou ainda: como acabar com a idéia de que radicalização é "coisa de macho" e alianças ou diálogos, "coisas de viado"?

10) Entender a tese de Marx de que "se chega à simplicidade pela aceitação da complexidade e não o contrário". Ninguém doma o complexo pelo uno. Isso é totalitarismo.

11) Como evitar as seduções do "finalismo" e da "boa consciência"? Ou seja, como evitar que a beleza dos objetivos (justiça, progresso) nos faça descuidar dos meios práticos de atingi-los?

12) Incluir na pauta a importância política do desejo humano.

Como ensinou Freud: A não-consideração desse desejo e suas pulsões foi uma das causas da queda do socialismo. "O inconsciente é o discurso do Outro" (Lacan) e não o "discurso da pequena burguesia". A esquerda precisa de psicanálise.

13) Evitar o uso de conceitos "holísticos", os grandes vícios lusitanos abstratos e genéricos: Homem, Totalidade, Unidade, Ordem, Absoluto, Universal, Realidade Brasileira (qual delas?). Incorporar e usar conceitos como: "sobredeterminação", "co-extensividade", "ironia", "contingência", "ambivalência", "parcialidade".

Além do uso de "ou isso ou aquilo" (ou/ou), incorporar o uso de "isso e aquilo" (e/e) (inglês: "*either/or*; *both/as*").

14) Entender a diferença entre solidariedade e corporativismo. Perguntar-se: estou defendendo o povo ou corporações arcaicas?

15) Fazer auto-análise: estou ajudando os pobres ou, com minhas declarações de amor, vivendo às custas deles?

E, ainda mais concretamente:

16) Como melhorar a vida do povo sem fortalecer a economia como um todo, dentro do mundo atual?

Como diminuir o déficit público sem reforma fiscal?

Como governar estados com a folha de pagamento estourando 100% do orçamento?

Como resolver impasses tipo: dos 70 bilhões arrecadados pela Previdência Social, 35 bilhões pagam aposentadoria a 90% dos aposentados. Os outros 35 bilhões pagam aposentadorias de marajá a 10% dos inativos.

Como acelerar a reforma agrária dentro do sistema jurídico e burocrático atual?

Como fazer uma política industrial, para nos defender dos novos enleios do imperialismo global?

17) Como seria, sem adjetivos, concretamente, uma política de inclusão social?

Ou seja, como dizia Lênin: "Que fazer?"

Ou como dizia Freud: "Investigue seus motivos inconscientes." Espero ser útil.

O Fim da História Acabará em Pizza

Quando houve a catástrofe do Shopping Center de Osasco, que explodiu como uma empada neoliberal, descobri que ninguém é mais "culpado" nas catástrofes modernas.

"That's the way the world ends, not with a bang, but with a pizza." (d'aprés *T.S. Eliot)*

1996 foi o ano das catástrofes. Já tivemos as enchentes do Rio, os mortos de Caruaru, o massacre dos sem-terra, a morte dos Mamonas Assassinas, os cemitérios de Santa Genoveva e agora a explosão do Shopping de Osasco. Estamos no ano do cachorro louco, o ano do bode preto. E terríveis são também as outras catástrofes mais surdas, mais silenciosas.

A catástrofe de hoje é a loucura consolidada em concreto. É a catástrofe do mau funcionamento. Não é mais a catástrofe com culpados visíveis, não adianta procurar os culpados. Hitler já era. Que alívio quando temos um genocida que nos absolva do sinistro maior: a tragédia sem sujeito.

Pol Pot foi um refresco. A catástrofe sem sujeito é a insustentável violência das coisas "em si", diria Sartre. Quem matou os "caruarus"? O assassino foi uma empada feita de algas azuis, loucura, miséria, burocracia, prefeitos boçais e equipamentos fora do lugar. Quem matou os sem-terra? Brutalidade analfabeta, governo ausente, latifundiários e um maoísmo fora de época.

É terrível a catástrofe sem vilões. É a catástrofe da "ausência do mal". O mal se espalhou nas paredes dos *shoppings* da vida. O mal é um mau cheiro difícil de localizar. Onde está o mal? Ainda temos reservas, no terrorismo islâmico, nos radicais árabes e judeus, nos degoladores argelinos.

Mas até o Unabomber acha que está combatendo o mal! Estamos na sociedade do erro inextrincável. Mas as catástrofes brasileiras são "coisas nossas". Somos "cordiais"; não temos terroristas. Temos as catástrofes das pizzas, ou melhor, uma pizza de catástrofes.

No Brasil, temos um rocambole de causas. O crime "sem criminosos".

Quem é culpado pela lanchonete do mal, quem é culpado pelo *milkshake* atômico da praça da alimentação de Osasco? Quem é o culpado pelo grande peido de acrílico e plástico e *ketchup* voando, misturado com jatos de sangue em direção às clarabóias pós-modernas? Os construtores daquela zorra, os engarrafadores de gás, os ratos que roem os tubos de borracha, ou o cacete a quatro?

Estamos sem clareza no mal. Há uma sinistra revolta das coisas em andamento. Quem combaterá a invasão dos feijões gigantes? Só nos resta uma emoção meio vagabunda, uma piedade sem objeto; tanto que, para individualizar o sarapatel de mortos em Osasco, tivemos que descolar às pressas um bebê, um bombeiro bom, um pai em lágrimas.

Como chorar os mistos-quentes em vôo, como lamentar o lanche nu? Essas catástrofes, que misturam palhaços com merda, já haviam sido previstas por Bill Burroughs.

Que houve afinal? Nada. Houve apenas a transformação de uma tragédia fixa em uma tragédia móvel.

Assim: tome-se uma catástrofe fixa, conecte-se com outra catástrofe fixa (repare que sozinhas elas não explodem), acenda-se uma faísca e pronto! Temos o sanduichão de mortos!

Por exemplo, junte-se a tragédia imóvel de uma faca a um ventre e temos um assassinato. Junte-se um "espinola" ou um "mansur" ("mansur" ou "espinola" são um tipo de animal brasileiro, cruzamento de nazista com porco e rato), donos de clínicas, com o dinheiro do SUS e teremos uma "santa genoveva".

As catástrofes de hoje são defeitos de fabricação. Assim como as máquinas de lavar quebram, assim caem os *shoppings*. Assim como a privada entope, assim morrem os "caruarus". Assim como se jogam fora os restos de comida, assim morrem os "genovevas".

No Brasil, muitas catástrofes são "fora do lugar", como diria R. Scharwz. A evolução técnica convive com o ambiente de miséria e dá no "malfunctioning". Explodem pela soma de novas tecnologias com excesso de atraso.

São a maldição do "erro subdesenvolvido dependente". Ex.: jatinhos cheios de mamonas assassinas + *rock* + supertráfego de aeroportos com torres cansadas e mal pagas + pilotos doidões = Bum!

Existem catástrofes brasileiras que são a soma dos "*acts of God*" (como rezam os contratos americanos), os "atos de Deus" com a esculhambação das burocracias. Ex.: chuvas de março + três séculos de podres poderes = desabamentos anuais do Rio.

Há muitos tipos de catástrofes. Há a catástrofe da impotência política, a catástrofe do cassino global da grana, quando um cheque sem fundos na City de Londres pode piorar nossa vida no Piauí.

Há também a catástrofe da "ilusão democrática liberal", que acha que a sociedade moderna "resolveu" a luta de classes.

O que há é uma infernal convivência, que nem os guetos conseguem impedir. A luta de classes *clean* e clássica deu lugar à luta de classes pela infecção.

Desde a contaminação da Aids negra no rabo dos brancos até a contaminação do progresso pela invasão dos excluídos.

Há catástrofes em preparação, como as reformas do Estado que o Congresso não deixa fazer ou como as usinas nucleares de Angra; há as catástrofes da lentidão dos processos jurídicos, dos aeroportos com super-tráfego. Há os eternos denunciadores da catástrofe, fotógrafos, escritores, jornalistas (eu?); gente que denuncia o mal do mundo para o mundo, denúncias que são um pleonasmo maldito para nada.

Há a catástrofe da nossa insensibilidade crescente diante do horror. Os fatos estão além da piedade. Há o tédio crescente pela catástrofe, quando a alma vai virando uma grande pele de rinoceronte.

E há a grande catástrofe, a maior de todas, que é a perda até do consolo da grande guerra nuclear, que nos dava a sensação onipotente de poder destruir o mundo. Era uma forma, ao menos, de ser "sujeito da História".

Hoje, nem isso. As guerras nucleares serão feitas com a sucata dos atômicos falidos.

Finalmente, a profecia de T.S. Eliot virá: em vez do grande estouro final que nos glorificaria, teremos um gemido vagabundo.

O fim da História será um fim de feira. Até o mundo vai acabar em pizza.

"Eu, Collor, Sei que Vocês Têm Saudade de Mim!"

Escute aqui, minha filhota! Escute, você pensa o quê? Pensa que eu tenho medo da TV? Você não sabe de nada! Eu fui presidente e continuo eivado de um poder inefável como um Sonho de uma Noite de Verão ou como as asas de borboletas de Ariel em *A Tempestade*. Eu tenho muito poder sobre este povo, este Caliban troncho e descamisado que nunca vai me esquecer.

"Eu sou o espelho do país. Eu ensinei a este povo o avesso de minha pele, eu ensinei o outro lado do nada, o outro lado da roupa, eu invadi a burguesia e mostrei tudo de dentro para os miseráveis... Que vocês todos são. O povo nunca vai me esquecer, minha filhota, o povo nunca vai parar de me ver queimando como um mártir, um mártir, sim, eu sou um mártir sendo devorado (mão fechada bate na mesa) por leões, tigres, leopardos.

"Pode botar esse microfone na minha pobre cara de ex-presidente, me expor ao Brasil todo pela TV, vai... Queime-me com as luzes dessa câmera branca, desse *flash* terrível, você não percebe que eu sou um sucesso?

(Ergue-se com perfil de águia.) Eu sou uma estrela, eu sou o mistério do fracasso do branco, rico, bonito e burguês!

"Eu ofereci meu corpo para este país de pretos ou quase pretos. Você não percebe, *baby*, que o Brasil precisa do meu talento para o erro? (Murro na mesa, riso metálico, ruído de *bips* de alarme.) Ahh...Você... Minha filhinha, minha filhotinha, segurando esse microfone do outro lado do Bem, você não sabe o que é a solidão de ser apedrejado na entrada do hospital onde sua mãe está dura feito uma múmia, uma múmia que ficaria dois anos me acusando em seu silêncio, entre tubos e soros e papagaios e...

"Não sentir nada... E descobrir debaixo de pedras e xingamentos que a vaia te dá um doce prazer trêmulo, um luxo sexual... Você... Você é linda, filhotinhazinha, você tem os traços límpidos, gregos, de Palas... Que coisa lírica esta nossa relação aqui, não é? O povo inteiro vendo você me humilhar com suas perguntas corajosas...

"Como o povo se excita ao ver um homem jovem e bonito, desgraçado como eu... Que coisa erótica para este povo pobre... Isso, olhem-me bem, descamisados, eu sou o fracasso da burguesia! E eu amo... isso... Como amei quando pedi que saíssem nas ruas, com bandeiras brasileiras, e todos me derrubaram... (Ruídos em *off* de multidões, Collor aponta para os olhos de 70 milhões de espectadores.)

"Vocês me chamam de ladrão, canalha, mas vocês pressentem que eu sou mais que isso! Vocês não entendem, mas eu moro numa região não linear onde o visível é uma camuflagem. Eu desvendei um crime, cometendo-o. Eu menti, propositadamente mal, para ser apanhado. E, de tempos em tempos, vocês precisam me rever, para se reassegurar de vossa pretensa pureza...

"Eu mostrei a vocês o Brasil no meu corpo. Eu virei um papel de mosca com tudo grudado em mim: PC, rosanes, fantasmas, rosinetes, barrigas

dos Maltas, arreglos uruguaios, nova visão de cinismo, o fim do populismo descamisado, a vitória do mau gosto, a essência do crime colonial, jatinhos, morcegos, surubas fisiológicas, a solidão infinita do meu martírio, ahh ahh! (Novos *bips* agudos.)

"Como eu acertei, errando! O povo me entende. Eu sou popular; fui eleito por um auxiliar de enfermagem e fui derrubado por um motorista. Eu fui o orgasmo, a lua-de-mel entre a modernidade e o melaço grosso da colônia de Alagoas, eu fiz a ponte podre entre o público e o privado! Por mim, vocês tiveram o primeiro herói trágico; não um Tiradentes esquartejado, nem Getúlio suicidado...

"Eu fui um Napoleão que se descoroou, eu criei minha própria crise, como se eu fosse um outro. Eu botei em cena a tragédia greco-alagoana de nossas vidas... Ohh... Os lábios de coral e os dentes de pérola e as coxas perfeitas de Thereza Collor, essa deusa do latifúndio que eu nunca vos direi se beijei!... (Milhões de televisores se acendem. Crescem índices.)

"E a dor-de-corno de meu irmão movendo a história, me acusando, e eu crescendo como uma pedra dentro de seu crânio, e o sangue dos bodes pretos degolados por Rosane no Planalto criando o câncer em sua cabeça, e meu pai Arnon errando um mesmo tiro há 30 anos, um mesmo tiro para sempre e sempre matando a pessoa errada, e minha mãe-pátria amada, imóvel para sempre no hospital sob a bandeira do Brasil!

"Tudo isso quem vos deu, meu povo? Quem? (Seus lábios não sincronizam mais com a fala, deixando ver que ele são dois: um que sofre e outro que não.) Eu fiz uma revolução democrática, quando confisquei vosso dinheiro, igualando Antonio Ermirio e você, pé rapado de cinco cruzados! Eu fiz a sociedade civil acordar! Como ficou tudo triste depois que eu me fui...

"A imprensa sem assunto, os crimes sem autores, como esses 'precatórios' insossos e tecnizados, como um filme sem enredo, sem heróis. Eu

planejei minuciosamente cada um dos meus erros. Eu desmoralizei minha própria classe social, matando-a por dentro.

"E depois, quem continuou errando para vos instruir? Quem comprou casa em Miami com bica de ouro? Quem se vestiu de havaiana no dia da morte de PC? Eu sou o retrato louco e frágil do Brasil moderno e neoliberal e, se vocês bobearem, cairão como eu caí!

"Eu não sou uma caricatura; eu sou uma alegoria! Vocês nunca foram os mesmos depois de mim! (Grita, assim como uma sirene.) Olha... Minha filhota... (Gemidos metálicos, lágrimas pesadas rolam de seu rosto que se paralisa em arrancos, boca se move e não sai som; só ruídos de engrenagens. Boca se abre, lenta.) Olha... minha... filhota... olha... minha... filhot... minha... ahhh!"

(Rosto imóvel, boca aberta, olhos arregalados. Lágrimas pingam como gotas de mercúrio. Cabeça cai para o lado.) Corta para Lilian Witte Fibe, que também chora: "Boa noite."

Americanos Invadem a Terra em *Independence Day*

Fui ver *Independence Day*. E saí com a certeza de que os ETs dominaram o mundo. Os ETs são os americanos.

As provas estão todas no filme. Para além do "enredo" visível, o filme mostra outras invasões... O filme mostra que, depois da Guerra Fria, os americanos entraram em "frenética lua-de-mel" consigo mesmos.

Depois de uma certa humildade que o socialismo vivo provocava, depois do Muro de Berlim, os americanos passaram a achar que "vida" e "América" são a mesma coisa. "Ser" é ser americano.

Nem o mais delirante filme de propaganda soviética teve esse descaro ao vender um sistema político. O verdadeiro cinema político é o filme americano.

Quais são as mensagens subliminares que o filme envia?

Independence Day vende a América.

Ao contrário dos antigos comunas ou dos nazistas de Goebbels, que vendiam um "futuro", um paraíso soviético ou um Reich de mil anos, os EUA vendem o "presente".

Americano não tem futuro. Só presente; um enorme presente prático, feito de objetos e *gadgets*, serviços e sentimentos óbvios.

Independence Day vende o cotidiano da América, não um fim. Não a felicidade futura, mas a competência de hoje. O mito obsessivo do controle sobre o funcionamento da vida.

Americano odeia dúvidas. Odeia finais ambíguos. Dúvida é coisa de mulher. Cultura da certeza, certezas de machos. Este filme é um filme de macho. A América agora só faz filme de macho. Vejam Rambos e Van Dammes.

Americanos vendem seus machos que salvarão o mundo, contra os dissidentes, drogados e terroristas perversos que ficam atrapalhando a vitória do capitalismo. Ou então, contra os extraterrestres. Quem são os ETs? Serão os imigrantes? Serão os que moram fora da terra americana? Serão os chicanos, islamitas, os excluídos, nós, de Governador Valadares? Quem ocupará o lugar dos comunas?

Vemos no filme que os americanos estão meio desamparados sem inimigos reais. Como justificar uma cultura paranóica sem um inimigo? Há pouco tempo, os ETs eram simpáticos salvadores metafísicos nos trazendo amor.

Agora, voltaram a ser maus. Sem inimigos, que será da indústria bélica? Sem perdedores, como seremos *winners*? A globalização da economia é a invasão do sistema americano de vida. Por outro lado, o filme é também uma metáfora nacionalista e de protecionismo econômico.

Antigamente, sofríamos no enredo, esperando que tudo acabasse bem. Hoje, já sabemos que tudo "tem" de acabar bem, mas o bom é sofrer os infernos do suspense até chegarmos ao fim feliz.

No filme americano, os verdadeiros personagens são as Coisas. Personagem é só um pretexto para mostrar o *décor*, o que está em volta. E o *décor* é um grande *show-room* dos produtos: maravilhosos aviões, os supercomputadores, a genialidade tecnológica.

Os personagens não fogem de um conflito; fogem dos produtos. E os heróis não são políticos nem caubóis nem super-homens. São o homem comum, com incrível competência mecânica, heróis *do-it-yourself* épicos, cuja bíblia seria a *Popular Mechanics*. Neste filme, os ETs são vencidos por um *laptop*, um computador portátil que Jeff Goldblum usa para instalar um vírus na nave-mãe. Genial!

A idéia de paraíso americano é a perfeição do funcionamento. O único inferno que pode surgir seria o inferno do infalível, quando tudo será previsível, programável. O destino em disquete, o *software* do futuro.

E quem vence os extraterrestres não é o exército, não é a coletividade organizada. Quem vence é sempre o indivíduo sozinho e sua incrível competência para improvisar. Quem salva o mundo são três homens comuns, numa ciranda politicamente correta: o negro, o branco *wasp* e o judeu.

Para além das diferenças de raças, eles são unidos pela "americanidade".

Mas o filme também nos vende produtos "espirituais". Quais são? Vende-nos a mulher linda dividida entre o amor e o dever político. Vende-nos a *stripteaser* negra honesta que consegue unir as atividades de puta com as de mãe-coragem. Vende-nos a idéia de que os soldados russos, franceses e italianos são uns bobos, desarvorados sem imaginação nem técnica.

O filme é de uma eficácia assustadora. Por que tanta eficiência no roteiro? Os roteiros não são bons, mas são eficientes. São cada vez mais feitos em computador, de modo a não deixar nenhum respiro para o espectador. É preciso encher cada buraco, para que nada se infiltre na atenção absoluta.

Os efeitos especiais são muito mais importantes que os conflitos psicológicos. Como nos filmes pornográficos, não importa o enredo; só o gozo da cena. A mesma busca de visibilidade total que tem o filme pornô tem o filme de ação.

O orgasmo dos filmes de ação são os efeitos especiais.

Que será de nós?

O filme atende a todos os desejos. Atende até aos desejos dos "unabombers" e terroristas. A América é destruída com fogo e sangue, numa incrível violência, espatifada com amor e ódio. Há um desejo de ruína, misturado com patriotismo.

Os marginais vibram quando os ETs destroem a Casa Branca e vibram também quando o negro vence a corrida contra o disco voador. O filme atende a nossos desejos, destrutivos e patrióticos, e saímos com a alma lavada. Por que de alma lavada? Saímos protegidos. Saímos do cinema com a frase na cabeça: "Que seria do mundo sem os americanos?" Por outro lado, nada é parte de um complô feito para nos "lavar o cérebro". Nada disso. Não é uma propaganda consciente. Não há Comitê Central nem CIA, por trás. Os americanos já são um produto deles mesmos; se reproduzem por cissiparidade, acreditam no que dizem.

A sinceridade é sua arma total.

Sexo e Amor com Déficit na Balança Comercial

As paredes de zebra tremiam sob a luz lilás e os espelhos fumê multiplicavam ao infinito os corpos dos amantes. Lucineide já sentia o prelúdio de um orgasmo delirante, os primeiros sinais de que chegaria ao prazer "qualidade total", prazer "nível 1", quando a virilidade de Jonas F. (45, economista com PhD em Stanford e diretor do Banco Central) começou a sumir dentro dela, como se fosse um avião com o reverso ligado, um desastre à vista.

Jonas F. ainda tentou com fé, mas sua masculinidade foi virando nada, ar, saindo de dentro de Lucineide, a fogosa secretária do BNDES, que fechou os olhos, tentando ainda aproveitar os últimos detritos do botãozinho em flor, mas o vazio se instalou e o que era pedra se fez espuma.

Na TV do motel, o filme pornográfico virava um amontoado de corpos tristes, enquanto Jonas acendia um cigarro e Lucineide tentava o tipo "compreensiva":

— Meu amor, que foi?

— Os juros, Luci, os juros altos — gemeu o economista.

— Querido, isso acontece com qualquer um.

— Talvez, mas sem juros altos estamos perdidos.

— Baixa os juros, amor.

Jonas F. sorriu com amargor:

— Não posso. Como vamos atrair dinheiro estrangeiro? Os americanos só mandam dinheiro aqui por causa dos juros altos.

— Ótimo. O Brasil fica cheio de dólares...

— Mas, minha gatinha, o Banco Central tem de comprar esses dólares que entram e aplicar lá fora a 6% ao ano. Mas, como o Estado se financia com dívida pública, pagando 20% ao ano ao investidor, temos o "déficit público" com a diferença.

— Por que não baixa o custo do Estado? — disse a linda loura, baixinho.

— Se eu pudesse... Faríamos o ajuste fiscal, mas, para baixar o custo, precisamos fazer as reformas na Previdência, a administrativa, a tributária... Aí, diminuiria o déficit público...

Lucineide tentou animá-lo:

— Ah, meu bem... Deus é grande... Vai passar tudo... Passa a reeleição, passam as reformas, até esses seus "juros baixos" vão passar — disse Lucineide, rindo com os dentinhos lindos, enquanto beijava seu corpo lentamente.

O economista começou a se animar. Sentiu alguns tremores nos meios de produção, uma leve expansão da demanda, mas logo viu que eram apenas rumores do mercado.

— O Congresso não deixa fazer reformas. O Estado é deles, eles representam os donos do Estado. A única solução é continuar com juros altos ("e pau baixo", pensou para si), senão aquelas velhinhas de Kentucky e Massachusetts, aquelas filhas da puta, aconselhadas pela vaca da Merryl Linch e pelo viado do George Soros, tiram o dinheiro que têm aplicado aqui em CDB, com o qual a gente financia o déficit público... — sorriu Jonas F. com um toque de loucura.

— Se ao menos aumentassem as exportações... — sussurrou a moça com o torso e os seios bem visíveis no espelho para que ele se excitasse.

— É o que eu esperava, mas o "custo Brasil" é imenso... Os portos caríssimos, estradas ruins... E o déficit comercial não pára de crescer! Ai, ai... Meu Deus... As importações aumentam e as exportações não crescem...

— Mas... Meu amor, você não vai mexer no câmbio? — disse a loura, roçando-lhe o seio no ombro.

— Nunca! Você quer o quê? Que volte a inflação? Nada disso!

Lucineide viu que era hora de parar. Em vez de insistir, levantou-se. Suas pernas bem torneadas tinham o eco de academias de ginástica; a marca de seu biquíni brilhava na luz lilás ali no Crazy Love, o motel mais querido dos tecnoburocratas. Ela sabia das coisas. Não tinha tirado os sapatos de verniz salto agulha, que ele olhara com avidez nos corredores do Banco Central.

Essa era a primeira vez e Jonas sofria com a oportunidade perdida. Fechou os olhos, quando Lucineide se curvou sobre ele, sussurrando:

— Você não precisa fazer nada, amor... Deixa que eu cuido de você... Relaxa... Relaxa... O som tocava um Leandro e Leonardo, o que fez Jonas imaginar que estava no campo, entre vaquinhas mugindo... Conseguiu evitar o pensamento do crédito agrícola e aos poucos o tratamento começou a funcionar.

Lucineide viu que a felicidade voltaria. Os amantes se enlaçaram num beijo longo e de novo os dois pareciam um só corpo, no mesmo ritmo. Súbito, Jonas F. caiu de novo para o lado.

— Tenho que estimular as exportações! Parece mentira! Nós editamos uma medida provisória, isentando as exportações da Cofins, o imposto em cascata. Sabe o que aconteceu? Até hoje a isenção não foi regulamentada! Pode uma coisa dessas?

Jonas F. andava nu e dava murros na parede.

— O Brasil é muito devagar, tudo frouxo... nada rola — replicou Lucineide, num tom ambíguo e vagamente acusatório...

Jonas arrastou-se até a pia do banheiro de granito rosa e ficou olhando o rosto no espelho, em cava depressão. Lucineide sentiu pena do pobre economista. Encostou o corpo com carinho, mas ele a afastou com a mão, sentando-se na borda da banheira de hidromassagem.

— Lucineide... Eu tenho uma confissão a fazer... Mas você não conta a ninguém, senão sai na imprensa...

— Claro, amor, pode confiar em mim... Eu, antes de tudo, sou sua colega de BNDES. Que foi?... Conta... Algum problema sério?... Fala tudo.

As mãos de Jonas tremiam e sua voz saiu como um gemido.

— Lucineide... Eu temo que... Mesmo que possamos exportar, o imediatismo do mercado mundial nos condenará a nichos restritos, indicados pelo protecionismo dos países da G-7, deixando-nos numa posição secundária no mundo globalizado.

Lucineide tremia.

— E então, amor, que fazer?

A voz do economista vinha espessa e lenta.

— Terei que manter os juros altos, para atrair capital externo e financiar o déficit público.

— E se fizermos as reformas?

— O Congresso conservador não deixa.

Lucineide abraçou-o com ardor. Uma idéia lhe queimava o corpo lindo. Ela mordeu com força o ombro do amante. Em sua dor, Jonas F.

caiu na cama redonda de cetim, enquanto Lucineide soprava sensualmente em seu ouvido:

— Reformas sim, meu amor... A gente fecha o Congresso!

Os beijos ficaram mais ardentes. Jonas em seu delírio via o Congresso fechado com cadeado enferrujado e teia de aranha. Os gemidos da TV pornô vibraram no ar. E os gritos de Lucineide se somaram a eles: "Meu nome é Lucineide Fujimori, Fujimori!... Meu homem, meu amor..."

A luz lilás brilhava como uma esperança de progresso e Jonas F. de Almeida e Souza, PhD em Standford, viu subir no espelho a prova de que era finalmente um grande amante.

Eu Faço Hoje o Necrológio de PC Farias

Adeus, PC Farias. Nós te devemos muito. Que seria do Brasil de hoje sem PC? Morre com ele um professor. Eu já disse uma vez e repito: morre com ele um Gilberto Freyre, um Sérgio Buarque dos anos 90.

PC nos ensinou mais sobre o clientelismo, sobre a tradição colonial do Nordeste, sobre o espírito do patrimonialismo que nossos grandes mestres. Não recorreu a Max Weber, mas, na prática, mostrou-nos um Brasil insuspeitado.

Quem nos ensinou mais sobre as práticas ocultas do concubinato entre política e empresários, entre grana e poder?

Quem nos deu aulas de *money-washing*, de *lobbying*, de corrupção passiva e ativa, de técnicas de *leasing* para exportação de fundos? Quem nos alertou mais, com sua prática, para o absurdo que rola sob o manto formal da democracia brasileira? PC.

Quem nos mostrou Alagoas como o centro de produção teórica de corrupção e pistolagem, da impunidade como lei? Quem nos ensinou que a ética é apenas a lógica da sobrevivência? Quem? Darwin? Não. PC.

Por ele conhecemos a força bruta e a raiz funda do sentimento "privado" neste país, privatismo que o acompanhou até na versão de paixão que a polícia tenta nos impingir.

Por ele conhecemos o mundo maravilhoso dos Collors, dos Bulhões, da república de Pajuçara; por ele conhecemos a visão que nossos ricos têm de felicidade: um rocambole composto de lanchas, *jet-skis*, parabólicas, gravatas Hermès, jatinhos loucos, amantes e surubas em Paris, gargalhadas infinitas nos restaurantes de Miami.

Você dirá que foi Collor o nosso Platão. Não. Collor se escondia sob a capa de um burguês bilíngüe, bonito, só denunciado pelos dentinhos de coelho de Rosane e pela barriga do João Malta.

PC, não. PC era cultura. PC e seus irmãos, todos iguais de barba e óculos, máquinas vivas de captação de vantagens, estavam entranhados já nas salas de espera da Colônia, de borzeguins e bragas, desde o século 17. PC era negro, vejam os lábios, sua estirpe era de servo. PC não se escondia sob vernizes de urbanidade. PC era cultura funda, não era moda.

Nunca me esqueço do sinal dos tempos. Para mim, foi o momento máximo desta era. Foi uma foto célebre de PC abraçado com Elma, felizes, os dois com abrigos franceses: ele Vuitton, ela Chanel, numa apoteose *kitsch* quase sublime. Ali estava nosso rosto burguês. Ele nos ensinou que o paraíso brasileiro nasce nas Galleries Lafayette.

PC estava muito além da moralidade ou imoralidade; não se pode criticá-lo apenas porque ele roubou. Ele foi além. Mostrou que tantos outros eram iguaizinhos a ele e ficaram puros, intocados.

Tantos rostos ele nos revelou. Foi uma aula de "antropologia fisiognomônica". Por ele, conhecemos as caras do nosso Brasil.

A cara *sampaku* de Cláudio Vieira e sua técnica "*actors studio*" de cínica inocência para ocultar a Operação Uruguai; conhecemos a grossura destrutiva de um João "Bafo de Onça" Santana; o rosto de perua digitalizada de Margarida Procópio; as bochechinhas *yuppie* e o lábio gordinho e ladino de Pedro Paulo Ramos, do Esquema PP.

A cara bexiguenta de Cleto Falcão, o Dom Ratão que caiu na própria feijoada; o Magri, clone sindical de Collor; o bico voraz de rapina de Lafayette Coutinho; os tangos de Bernardo Cabral e Zélia; as festas de plástico e flores de Eunícia, Rosinete. Deus...

Tanta coisa nos deu PC Farias, fonte generosa de iconografia. Que contribuição rica à história de nossa caricatura!

E, por decorrência, quanta coisa saiu em cascata de seus estelionatos didáticos: saiu o surto de udenismo petista que limpou o Congresso, a CPI do Orçamento, anões como João Alves e seu seguidor sangrento, José Carlos Alves dos Santos, que teria matado a mulher de picareta depois de um jantar com vinho francês.

Não é maravilhoso, não é uma abundância barroca de brindes? PC nos deu.

Quem nos fez conhecer a tragédia greco-alagoana que começou com Pedro Collor louco como um Caim patriota, evoluiu para uma mãe-pátria que ficou dois anos em coma abandonada pelos filhos, derivou em *impeachment*, câncer no cérebro e culminou com Tereza Collor, linda, dançando a dança do "tchan" nas festas deslumbradas? Quem? PC.

Quem nos ensinou sobre a precariedade do nosso sistema de autoproteção contra a corrupção, quem nos ensinou que a lei toda está montada para proteger o butim, a apropriação indébita, como mostra a impotência de um judiciário que só conseguiu processá-lo por sonegação fiscal?

Quem fez a denúncia mais pura do casamento do Estado loteado por empreiteiros, quando disse: "Tudo que aconteceu é culpa do excesso de dependência que os empresários têm do poder central"?

Por outro lado, que exemplo ele foi de discrição mafiosa, de lealdade com seus compromissos. Nunca este homem perdeu a cabeça, ameaçou ninguém, impávido no cumprimento de seus objetivos.

Foi uma aula de competência a seus corrompidos, aos empresários que chantageou.

Seu rosto impassível era uma acusação muda a todos os corruptos ativos e passivos ausentes em seu enterro: "Eu sou, mas quem não é?", dizia seu rosto em silêncio, com uma expressão muda de herói injustiçado. E foi leal a todos os empresários ingratos. Nunca os denunciou.

E em toda essa ciranda de horrores, nunca se deslumbrou. Foi discreto na dor, na morte de Elma, sua esposa Chanel, que ergueu a voz para defendê-lo; foi elegante na humilhação.

E, finalmente, foi um herói épico. Quem foge por vários países, disfarçado como um Arsene Lupin? Paraguai, Argentina, Inglaterra e, finalmente, é preso triunfalmente na Tailândia, sem bigode, e vem algemado com um policial corrupto no Boeing?

Quem protagonizou esse filme de James Bond alagoano? "*I'm PC; PC Farias*!" Deu um banho de bola nos ladrões de galinha.

E aí, morreu.

E nos fez conhecer em seu fim a revelação da linda Suzana, estrela póstuma, que brilhou só depois de morta.

E, mesmo agora, continua nos ensinando sobre o estranho caso de amor e paixão entre a polícia e os poderosos que queimam arquivos, este mundo *mix* de IML, PM, motéis, butique Lady Blue e crimes forjados.

E, depois de vários anos, acabamos vendo o nosso ícone, sem vida, de olhos abertos, o mesmo bigode, na cama. Tive saudade e pena de PC, nosso espelho.

Mesmo depois de morto, PC continua a parir ensinamentos. Como sabem fazer os grandes homens. Grande PC. Descanse em paz.

Presidente Sofre com as Dúvidas do Ano-Novo

"Será que eu estou errado?"

O olho do presidente vigiava no escuro. À sua frente, o mar batia nos penhascos de Fernando de Noronha. Um atobá piou. "Será que atobá pia?", pensou FHC. De qualquer modo, algo piou. 1997 começava a raiar.

"Tudo bem que a reeleição saia ou não. Minhas dúvidas são mais amplas..."

"*Sollicitude*, *récif*, *étoile*", recitou o presidente eruditamente na paisagem de mar e pedra.

"Tenho medo de estar inserido num erro maior, na 'mão invisível da episteme', em uma moda histórica que me leve necessariamente à tragédia do fracasso. Eu vivo criticando a 'fracassomania' brasileira.

"Mas e se eu estiver embarcado num entusiasmo 'micro' embutido num equívoco 'macro'? E se, por vias tortas, os comunas religiosos estiverem certos? Será que eu estou vendo uma 'irreversibilidade weberiana' na economia globalizada, quando na realidade esse 'destino' é apenas um programa de expansão de mercados hegemônicos?

"Será que eu estou vendo uma tendência histórica (oh... velho marxista hegeliano...) no que é tão-somente um caso de marketing? Deus... E se for?"

FHC teve uma secreta inveja do debate interno dos petistas. "Doces bárbaros... perdidos na dúvida entre trotskismo e stalinismo, debates dentro de uma mesma fé, com o santo sabor das discussões canônicas de convento... ah, se soubessem do frio vento do *Entzauberung*, o 'desencanto' de Max Weber, da solidão da ausência de sentido..."

FHC sentia fundo a dor do tempo: a perda da esperança de um fim histórico. Enquanto o socialismo existiu como alternativa, podíamos pensar o mundo como um erro consertável. A vida era um desvio.

"Sem o socialismo como esperança, o desvio é a vida", pensou o presidente. "É... mas é bom o fim dessa ilusão louca, o fim dessa 'história' como um 'êxtase moral'; é bom navegar nas certezas da dúvida, na vivência do mistério! O ideologismo antigo era uma cegueira. Temos de trabalhar no indeterminismo do mundo!", pensou FHC com orgulho.

Súbito, ouviu-se uma voz no vento: "Muito bonito esse papo francês 'delleuziano', mas vai dizer isso para o presidente da IBM, ah ah! Pergunta se o Departamento de Vendas da Microsoft trabalha no indeterminismo... ah... ah!"

FHC viu que seu pensamento ecoava no vento, como um advogado do diabo de si mesmo. O presidente teve uma funda saudade de Descartes, do tempo em que se achava possível construir uma cidade humana retilínea, coerente, saída do zero.

Ele tinha saudades dessa tradição platônica, kantiana, depois marxista, ele que hoje se via mergulhado na sujeira irremediável do compromisso.

O vento batia na madrugada. "Essa ilha já é uma escolha de território limpo, 'tábula rasa' cartesiana, longe da ambivalência política", sorriu FHC para si, contente de suas dúvidas cultas.

Mas o medo não passava. "E se eu estiver empurrando o Brasil para a mais negra submissão aos americanos, como querem meus inimigos da USP? E se, ao fim desse navegar no 'rumo inevitável da globalização', eu descobrir que apenas fui um inocente útil do velho 'imperialismo'?

"Não. Tem de haver um muro de arrimo contra o liberalismo selvagem. Nossa condição de brasileiros barrocos e populistas nos atrasa e, ao mesmo tempo, nos defende de uma adesão fácil ao neoliberalismo.

"Será isso uma racionalização de meu desejo de poder? Serei eu um deslumbrado, como aponta Emir Sader, por exemplo, ao dizer que, já em 70, eu amenizava o fascismo militar ao nomeá-lo docemente de 'autoritarismo'?"

FHC suava frio. Puxou o celular como uma salvação e ligou para o Alain Touraine em Paris. O velho mestre francês falou, falou, mas não disse o essencial.

Todos os perigos da globalização foram apontados, mas na hora de "o que fazer", na hora de definir que "diques" poderiam ser antepostos à selvageria do mercado, o ilustre francês não sabia a resposta.

"Mas, Touraine, diga-me, como criar uma ética de defesa social dentro do capitalismo financeiro global?" "Não sei... Liga para o Habermas", respondeu o velho mestre.

FHC desligou mais angustiado, com as últimas palavras de Touraine: "*Attention, les americains sont des fils de putain*!" FHC tentou se animar: "Meu Deus, e o frango a 90 centavos? Eu devo estar no caminho certo!"

"E o déficit comercial de 5 bilhões?", gritou-lhe no vento outra voz, que tinha o sotaque alemão da famosa "cassandra" Robert Kurz. "Países pobres como o Brasil só podem ocupar uns poucos nichos de exportação, ao passo que o resto é inundado e sufocado pela oferta dos países ricos e globalizados..."

FHC sapateava de raiva: "Canalhas, esses canalhas da velha esquerda podiam estar me ajudando a pensar! Mas não; estão discutindo para ver quem é mais radical, se é o Rui Falcão ou o Genoíno! Ninguém me ajuda a formular uma política industrial!

"Como manter uma mínima substituição de importações visando ao mercado interno, como quer o Celso Furtado, se temos de importar insumos externos que nos permitam a competitividade? Canalhas! Só sabem fazer profecias negras, análises perfeitas, mas na hora de 'o que fazer', ninguém sabe nada...!"

Na sua febre, FHC via o duro sorriso dos executivos americanos (que sabiam tudo) falando em "abertura de mercados emergentes", mas todos protegendo suas laranjas, sapatos, ferro e o cacete a quatro. Os duros americanos fingindo investir aqui, mas apenas comprando empresas nacionais falidas e aplicando em CDB.

"Mas de uma coisa eu tenho certeza", gemeu FHC para si, "um pouco desse calvinismo capitalista é bom para desarmar a tradição ibérica escrota do clientelismo e da dependência ao Estado-pai..." Era um consolo.

E ali, ao raiar do ano diante do "velho oceano" de Lautréamont, FHC permitiu-se ter orgulho de sua luta solitária. E pensou, feliz: "Eu tenho a força. Só eu tenho um saber marxista, temperado por uma 'práxis weberiana'! Só eu posso fazer o nobre pacto entre o acaso e a necessidade, entre o mercado e a justiça! Eu sou a terceira via do mundo, eu encarno a síntese pós-utópica!"

Foi aí que o celular tocou entre os penhascos. Era o Luis Carlos Santos: "Presidente, acho que já conseguimos os votos de Wigberto Tartuce, Paes de Andrade e de três traidores do Maluf para a reeleição. Só falta agora convencer o Pedrinho Abrão, que ainda vota..."

No céu, o atobá piou. "Atobá pia?", pensou FHC em dúvida.

E se o Pênis Cortado Estivesse no Vôo 402?

As coisas estão "des-acontecendo". Duas cenas estão na minha cabeça como sintomas do mal do tempo: a turbina que se fechou no desastre e o pênis cortado do rapaz de Minas que a namorada castrou. O pobre pau foi levado às pressas para reimplante em São Paulo.

Esse pênis cortado é igual à turbina que reverteu. São sintomas de nossa paralisia histórica. O avião que anda para trás, retido por quem?

Ninguém foi culpado do desastre. Foi o nada que causou tudo, foi o ar, foi o cansaço das coisas.

E o pênis decepado? Lembram-se do outro pau, do americano, abandonado num terreno baldio, com os bombeiros procurando-o? Existe abandono maior do que um pau jazendo num capinzal, sem pai nem mãe?

Esses dois eventos parecem comprovar minha pobre tese: os des-acontecimentos. O avião não voou. E o pênis cortado teve dois momentos: o gesto "modernista" da mulher de castrar o namorado, separando o homem de seu símbolo, e a atitude pós-moderna: a luta pelo reimplante.

Os médicos correram e, numa caixinha de isopor com gelo seco, fizeram o vôo do pênis (e se o pênis estivesse no vôo 402? Oh, solidão de uma piroca em pleno vôo!). E reimplantaram-no.

Ou seja: dois desacontecimentos: pênis arrancado e pênis *flash-back*. Mas, falo, falo (!), e não digo o essencial. O essencial é que nada está acontecendo. Se antes a História produzia mudanças essenciais, fingindo que nada acontecia, a ironia hoje é que as coisas não acontecem, apesar de terem o ar de acontecerem.

O escândalo de Ricupero. Aquilo foi um típico desacontecimento. Ele caiu porque queria gerar uma notícia na TV, um desacontecimento no "Fantástico". Achava que estava fora do ar e estava no ar. Des-aconteceu.

O próprio governo de FHC é um desacontecimento. Toda sua estratégia política é de fazer as coisas não acontecerem. As reformas são desacontecimentos, são dissuasões, são desatamentos de coisas acumuladas, são desconstruções.

Temos de desconstruir os erros, temos de desfazer o feito para que o incontrolável possa ocorrer, para que possa fluir o imprevisto.

Mesmo que estejamos errados, não há volta: temos de abrir caminho para a invasão das coisas.

A queda do socialismo foi um desacontecimento. A derrubada do Muro de Berlim foi uma desconstrução. O *impeachment* de Collor foi um desacontecimento.

Os acontecimentos lutam por existir, mas não conseguem os 15 minutos de glória. O grande acontecimento, aquela coisa com princípio, meio e fim, que gera seu crescimento e se completa, aquele fato que adquire sentido, este não existe mais.

As greves sindicais não acontecem mais, a greve da Petrobrás quis ser um acontecimento, mas FHC fê-la desacontecer.

É necessário esvaziar o ímpeto do humano para deixar passar a vitória das coisas.

A Guerra do Golfo foi um. O sujeito que não embarcou no vôo da morte da TAM, falando com a mulher no celular: "Querida! Está tudo bem, estou ótimo, não houve nada!" Isso foi um desacontecimento privado, mas foi.

Uma bala perdida no Rio é um desacontecimento. Terrível a quantidade de desacontecimentos trágicos nos últimos dias, dezenas de feridos por balas que não têm origem.

Quem matou a vítima? Ninguém, uma bala sem ódio. E quem enfiou uma "faca só lâmina" na cabeça do sujeito? Ninguém. Retiraram a faca, como no poema de João Cabral.

E o rapaz lindo e milionário que deu um tiro na cabeça na frente da menina, por causa de um amante que não havia? Esvaiu-se, diante dos olhos da amada. Nada aconteceu. E ela já disse: "Tudo bem, dentro de uma semana, volto a trabalhar." Está certa. Não houve nada.

O pirocão do Bar 20 no Rio é um desacontecimento. Ali não havia nada, nem motivo para haver nada. Mas o exibicionismo de alguém querendo acontecer criou essa patética tentativa de existir: criou um monumento a si mesmo, o que é nada.

Devia ser castrado como o pinto do mineiro (Venha, mocinha castradora, venham, grafiteiros, pintar o pinto!). Os grafiteiros são agitadores do nada. O grafite nunca significa nada, buscamos o sentido, mas ele se recusa a acontecer.

A falta de quórum no Congresso é um desacontecimento. A demissão de Adib Jatene foi um desacontecimento. O único acontecimento de sua gestão foi sua saída.

Também as tragédias em gestação são desacontecimentos que vão gerar tragédias reais que parecerão acontecimentos.

A pista curta do Santos Dumont é um desacontecimento, os prédios de 15 andares ao longo de Congonhas são terríveis desacontecimentos ali, esperando os fatos. Os mortos de Caruaru foram sumindo da mídia. Desaconteceram. E já são 63.

A notícia tem *fade out*. Os bebês que voaram nos berçários mortos, ninguém sabe como, são desacontecimentos. Os velhinhos "genovevas" voaram. Ninguém lembra mais. Nenhum escândalo nos salva.

A votação das reformas no Congresso é um desacontecimento. Todo o trabalho de deputados e senadores é para fazer que nada aconteça inteiramente como deve.

Um destaque substitui um item, uma emenda substitui a outra, no final a reforma foi reformada e substituída por outra que anula tudo. O importante é que nada aconteça, parecendo ter acontecido.

O trabalho da velha esquerda e atual direita do Brasil é impedir acontecimentos. Todo o trabalho de FHC é fingir que não está fazendo nada, para poder fazer alguma coisa. Fingir que nada acontece, para que os acontecimentos possam fluir por baixo.

Tem de esconder tanto para fazer acontecer que, muitas vezes, nada acontece mesmo. A idéia de "utopia possível" já é um sintoma disso. Estamos sob o signo da resignação, com o fim do heroísmo.

Ao intelectual só resta a humildade, seu pior inferno. A lista é imensa. A arte des-acontece, des-materializa-se.

Onde estão os escândalos? Onde estão os antigos acontecimentos? E os 111 mortos? E os "sem-terra"? E... tantas são as montanhas, as pirâmides de desacontecimentos, que meu medo é que o mal perceba que é impune e não pare mais.

Companheiros! Precisamos fazer alguma coisa acontecer!

Florescem no Brasil Novas Microrrevoluções

Estão surgindo movimentos microrrevolucionários no mundo todo. Não mais o triunfo da "Marselhesa", nem da proclamação da Bill of Rights americana, nem de Lênin chegando à Estação Finlândia. Nada. São revoluções compactas, já que não está dando pé a "Big One". No Brasil, precisamos de quê? Alguns exemplos:

- Patrulhas Antiliberalismo — Precisamos urgentemente de uma organização que impeça o deslumbramento dos idiotas com o novo "imperialismo" global. Denúncia imediata do uso abusivo de palavras como governabilidade, implementação de medidas antipopulares, desregulamentação, reengenharia, trabalho informal e, sobretudo, auto-regulação mercadológica.
- FLT (Frente de Libertação Trabalhista) — Um foco de luta armada, oriunda do PT, segundo recente declaração de seu grande timoneiro de que "temos de lutar fora do sistema". Acaba o papo estratégico de "democracia" e se parte para a guerra. Guerrilheiros subirão a serra da Cantareira para, de lá, descer, com o apoio de camponeses da região, e tomar São Paulo, começando pela Fiesp.
- Brigadas musicais antipagode — Grupos de extermínio contra cantores sorridentes e cafajestes cantando sacanagens em ritmo machista. Criação também de Comitês Antibunda, para proibir "tchans" e garrafas fálicas.

- Patrulhas Antievangelistas — *Raids* perigosos em TVs e igrejas evangélicas para flagrar com gravação de *tapes* os pastores e bispos em orgias, despi-los de seus jaquetões cafajestes e obrigá-los a encenar seus crimes sexuais, seus roubos de dízimos e sua fé de Belzebu. Depois, entregá-los à devoração dos fiéis.
- Sendero Luminoso (filial) — Fundado aqui com o belo nome de Caminho da Roça, com a liderança de Gilmar Mauro (o "Mau"), teórico maoísta formado na CNBB, com aulas de tomismo marxista. Sua frase virou um lema: "Chega de frouxos! Vamos atacar com as unhas!" É o novo hino que cantam os pelotões de lavradores suicidas que Gilmar e Stedile mandam para o *front*, sem nunca irem na frente, é claro. São financiados pela... (leia abaixo).
- Quinta Internacional Rei Balduíno — Central revolucionária da Bélgica que, depois de décadas de massacres no Congo Belga, foi criada para diminuir o sentimento de culpa desse civilizado país, que passou a apoiar loucuras no Terceiro Mundo.
- Uhh! Não dá! — Grito de guerra da OAJ (Organização Antijovem). Grupos de ataque a comerciais sobre a alegria juvenil consumista, para destruir *tapes* de anúncios de "uhh, guaraná", de chicletes na praia, de Chokitos com asa-delta, de Ruffles com tesão e frescobol, de Free em vulcões da Guatemala e outros. Se impossível, ao menos obrigar o aviso: "Jovem fica velho e provoca alienação."
- Patrulhas Artísticas Helio Oiticica — Artistas armados com parangolés coloridos em luta pelo bom gosto nacional. Missão nº 1: destruição do "pirocão" do Rio. Também destruiriam fachadas pós-modernas em prédios ricos, apart-hotéis com motivos egípcios e bingos com fachadas astecas. *Raids* contra Riders de plástico. Farão convênio com a limpeza urbana (Arte Comlurb) para evacuação de instalações em bienais que apresentem lama simbolizando nosso destino vazio ou bosta simbolizando o Nada.

- Movimento Igrejas Novas — PC do B vira Igreja, com Mao como Deus e João Amazonas de profeta. O PDT vira Tenda Espírita Leonel Brizola, dirigida por seu espírito obsessor. Haveria também igrejas hegelianas na USP e igrejas lacanianas no Rio, onde já existem cerca de 15 lutando entre si para saber: "De quem é o objeto pequeno-A?"
- PPP (Partido para Profissionalização de Peruas) — Obrigação de carteira assinada e registro no Ministério do Trabalho. Elas terão direito a Fundo de Garantia sobre o dinheiro do marido e dias permitidos para aparecerem sorrindo em colunas sociais, de pernas cruzadas. Com mais de três aparições por mês, são indiciadas por vadiagem.
- MST Chic — Dissidência do Caminho da Roça, que resolveu invadir campos de golfe, de pólo e desapropriar *country clubs*.
- Braço Armado Bertolt Brecht — Quer obrigar grupos de teatro besteirol a montar Racine e vanguardistas radicais a montar *Deus lhe Pague* ou *Maria Caxuxa*.
- Supremo Tribunal Popular Carandiru — Comitê do povo para julgar o Judiciário. Os "juízes" seriam escolhidos entre prisioneiros de celas apertadas, cheiradores de cola, ladrões de galinha, vendedores de *crack*, em suma, lúmpens em geral, julgando o desempenho e o charme dos juízes do STF.
- CPC (Centros Privilegiados de Cultura) — Espécies de SPAs cercados de cães e arame farpado para regeneração cultural da burguesia festiva. Começariam com leituras forçadas do *Ser e Tempo* de Heidegger, nos *country clubs*. Culminaria com a montagem de *Esperando Godot* na ilha de Caras. Seguido de grande coquetel.
- MLX (Movimento pela Libertação da Xuxa) — Grupos armados que seqüestrariam Marlene Matos, tornando-a empresária do Ge-

raSamba. Xuxa, liberada, faria psicanálise, teria aulas de tantra-ioga e de madureza. Seria feliz, casaria e teria filhos.

- Rio 2028 — Comitê formado nos jardins-de-infância e creches de hoje para motivar os bebês, no futuro, a defender nossa cidade para as Olimpíadas de 2028, caso a Telerj já tenha conseguido dar linha.

Fim de Ano é Sempre *Flash-back* com Suspense

O ano de o eclipse do sol contra a neblina, pela janela da infância, o ano de ver as primeiras imagens de minha mãe, que era uma Greta Garbo linda com ombros altos e cabelo de coque "bomba atômica" e lábios vermelhos, o ano da coqueluche em que meu pai me levou de avião até 4.000 metros para curar a tosse entre nuvens, o ano de olhar árvores, bichos e gente como se eu morasse fora do mundo (mistério que até hoje dura), o ano do medo de levar porrada nas ruas da infância, o ano das pernas das mulheres, colunas altas e distantes (até hoje), o ano dos fantasmas do fundo do corredor, o ano do cachorro atropelado, o ano dos meninos se comendo de solidão, o ano de ficar olhando o vento no quintal, o ano dos formigueiros, o ano do sarampo e sua lâmpada vermelha, o ano da catapora, o ano da luz azul da pneumonia de minha irmã, o ano da cabeça quebrada, o ano da cara quebrada, o ano de entender o porquê dos miseráveis do morro da Mangueira perto de minha casa, o ano de ver o primeiro filme de minha vida, o *Ladrão de Bagdá*, e ficar sonhando com as coxas da odalisca no tapete voador, o ano dos balões no céu, o ano do Mercury grená de meu pai brilhando na luz da rua, o ano do cuspe, o ano da porrada na esquina, o ano dos palavrões, o ano da "merda" e da "puta que pariu", o ano da inveja, o ano da bicicleta, o ano da primeira namorada que me tratava como nada, o ano de temer a Deus e de contar meus crimes aos padres negros de quem eu beijava a mão, o ano em que um padre me deu um beijo na boca e eu fugi com pânico na alma, o ano da mula-sem-cabeça e do mendigo que dava mijo para a mãe, o ano da camisa-de-vênus boiando na beira da praia, o ano do negro comendo a empregada no quarto de passar roupa, o ano da febre, o ano da violência dos colegas de colégio, o ano das lâmpadas tristes das noites do colégio, o ano das velas de ceras na igreja, o ano do coroinha sem fé, o ano do covarde, o ano do soco na cara do mais forte e do sangue no nariz do valentão, o ano da descoberta do orgulho, o ano do Tarzan, o ano do Super-Homem, o ano da porra, o ano da punheta de esguicho que ia até o teto de ladrilho por causa da primeira mulher de biquíni na praia, o ano da punheta pela empregada de peitos grandes e que deixava quase tudo, o ano da dor nos rins, o ano de entrar no porão com a menina, o ano de sentir o gosto de cuspe da menina, o ano de sentir o cheiro do entrepernas da menina, o ano da primeira mulher e, antes da primeira mulher, o ano da descoberta da literatura e de Rimbaud e o ano de ficar escrevendo o dia inteiro numa febre de descobrir alguma coisa que ainda vou achar, o ano, agora sim, da primeira mulher, uma aeromoça da Panair que parecia uma odalisca caída do céu, o ano do meu corpo e do corpo da mulher, o ano das lágrimas quentes, o ano da solidão, o ano das pernas cruzadas dos primeiros puteiros visitados, o ano da indescritível visão do Mangue, com as mil mulheres tremendo a língua para fora e de calça e sutiã nas calçadas, o ano dos bordéis antigos da luz mortiça, o ano das coxas, dos peitos, o ano cabeludo, o ano oleoso, o ano das peles, o ano dos vasos de louça, o ano de nada entender, o ano da gonorréia, o ano de Thereza e de comer o primeiro amor e de flutuar a um palmo das calçadas

de Copacabana, o ano da lua dourada, do sol vermelho, o ano de Ipanema, de Leila Diniz, o ano dos gritos da mulher amada no colchão sujo que era um aparelho do Partido Comunista numa noite de chuva, o ano do amor e da revolução, o ano da UNE pegando fogo, o ano dos exilados, o ano de Corisco, o ano de Tom e Vinicius, o ano do "Carcará", o ano do Cinema Novo da noite negra do Ato 5, o ano que não terminou, o ano da boca fechada, o ano da boca no cano de descarga, o ano do nervo do dente exposto na boca do torturado, o ano das unhas arrancadas, o ano dos gritos, o ano dos guerrilheiros suicidas, o ano de cortar os pulsos com gilete enferrujada, o ano das cabeças muito loucas, o ano de viver perigosamente, o ano da mescalina e do ácido, o ano das pernas e dos braços virando cobras na *bad trip* da beira da praia, o ano das ondas vermelhas e céus tangerina, o ano de Copacabana virando gelatina colorida, o ano de Janis Joplin de porre comigo num puteiro baiano cantando ponto de candomblé, o ano das filhas nascendo dentro de um buraco estrelado, o ano da esperança de sentido, o ano da inocência, o ano da ingenuidade, o ano do leite, o ano do ventre molhado, o ano dos quartos escuros, o ano da vida, o ano do sol, o ano do jambo vermelho, o ano das formigas, o ano das bonecas, o ano do olho furado, o ano de ficar louco, o ano do corno, o ano do babaca, o ano de comer mulher, o ano de chorar, o ano de aprender a viver de novo, o ano do "vamos ver", o ano do "que será o amanhã?", o ano do cachorro, o ano da vaca louca, o ano da cachorra no ar, o ano da beira do abismo, o ano da volta à democracia, o ano do não, o ano do sim, o ano de Collor, o ano do Itamar, o ano da hiperinflação, o ano da inflação zero, o ano dos Mamonas, o ano dos caruarus, o ano dos carajás, o ano dos genovevas, o ano dos cachorros-quentes explodindo, o ano dos desacontecimentos, o ano dos cabelos brancos, o ano do último vôo livre de minha mãe.

1996, o ano dos adiamentos, o ano da esperança, o ano que ainda não começou e acaba hoje. 1996, o ano que vai começar em 97, feliz ano-novo...

Sexo, Mentiras e Perversões na Crise do PT

O motel escolhido não foi o Crazy Love, nem o Feelings. Argemiro, 39, ex-metalúrgico e hoje deputado pelo PT, preferiu o bem nacional motel Juparanã, à beira da via Dutra, com sua fachada em desenhos marajoaras.

Casado, com problemas de consciência, Argemiro tinha se esvaído em amassos vãos com Maria de Lurdes, 25, durante semanas, sempre que ele vinha de Brasília.

Maria de Lurdes... a linda companheira de grandes ancas, cabelos de índia, vagamente estrábica, mas de boca vermelha e dentes estrelados, como a bandeira do PT. Lurdinha, da chapa "Articulação de Esquerda", a mais linda sectária de Santo André.

Agora, era para valer. E Argemiro mordia aqueles lábios de romã com fúria e paixão, desde a entrada do motel Juparanã, e nem teve tempo de tirar-lhe a roupa, tal era a fome de amor que trazia de Brasília, onde discutira horas com a radical Sandra Starling, ele que era da ala moderada do partido, nessa hora de crise.

Argemiro beijava Lurdinha com delírio, sentia-se descendo por um grande rio tropical, coberto por bandos de aves brasileiras. De repente, essas imagens se esmaeceram e, em seu lugar, surgiu o rosto de José Dirceu, abraçado com a figura bigoduda do deputado Paes de Andrade.

Argemiro tentou lutar contra esse vírus em sua mente, mas aos poucos a imagem dos deputados prevaleceu, e Lurdinha, da Articulação de Esquerda, sentiu que a fome viril que a penetrava, entre beijos e roupas rasgadas, dava lugar a um vazio ideológico, como a queda de um Muro de Berlim.

— Que que é isso, companheiro? — perguntou a moça.

— Como posso amar, se o povo sofre? — gemeu Argemiro, mentindo para a companheira Lurdes, o que só fez aumentar seu sentimento de culpa.

Lurdes era radical, mas foi compreensiva:

— Calma, meu bem, nosso amor pode ser também uma forma de luta contra o imperialismo...

— Eu sei — disse ele —, mas é que eu não consigo aceitar a idéia de fazer aliança com o PPB para isolar FHC e impedir as reformas. Não dá...

— Mas, companheiro, temos de criar uma posição bem firme contra o neoliberalismo de FHC.

Argemiro tremeu. Ele não concordava. Estava em plena crise. Aquela que os companheiros costumavam chamar de "vacilação ideológica". Timidamente, discordou da linda índia vermelha de lábios carnudos.

— Meu amor, veja bem, a situação é complexa... — disse, enquanto desabotoava o resto da roupa de Lurdes e ia se maravilhando com as descobertas.

Suas coxas se revelaram sob a saia jeans, o sutiã negro mal continha os dois frutos dos seios.

Lurdes era redonda e forte, parecia uma escultura de um "Maillol socialista", pensou Argemiro num sorriso, ele que gostava de arte, "*hobby* burguês" tão criticado pelos xiitas velhos de guerra, que o achavam meio bicha.

— Claro... amor... mas a globalização do mundo é inevitável, e o PT não pode ver nisso apenas uma conspiração da CIA. Diante desse enigma, o PT está sem programa.

— A nível de quê? — perguntou Lurdinha, torcendo-se lasciva na cama redonda.

— A nível de projeto político moderno, amor — ele adoçou a voz, com medo de quebrar o clima. — O PT não pode conquistar estados e prefeituras e depois impedir os companheiros de governar, como está fazendo com nossos irmãos Buaiz e Buarque.

— Não fale neles! Cooptados, traidores! — Lurdinha parecia ter um estranho prazer em odiar.

— Eu odeio Buaiz e Buarque! — ela gritava, se esfregando no lençol de cetim.

Ele era um conciliador, seu velho vício. Vendo os seios túrgidos de Lurdes, abrandou sua veemência, beijando-a:

— Claro, companheira, você tem razão, eles estão adotando posições neoliberais, mas... é por falta de um programa nosso... Mas não sei se devo falar nisso, sei que você pensa diferente...

Para sua surpresa, Lurdinha mordeu os lábios, ofegante:

— Não! Fala tudo! Fala tudo, meu amor!

Seus olhos luziam de paixão. Ele se excitava:

— O PT tem medo do mundo, tem uma fome de pureza que só nos leva ao isolamento.

— Vamos nos unir, companheiro — soprou-lhe Lurdinha no ouvido.

Argemiro crescia em ardor:

— A esquerda tem de regenerar o seu projeto e desenvolver uma nova concepção de Estado, como disse o Tarso Genro em recente entrevista!

Ele gostava de se ouvir. As palavras fluíam fáceis em sua voz de barítono. Voltou-lhe a confiança, e ele notou também que a moça ficava mais trêmula a cada palavra sua.

Seus seios ficaram duros quando ele falou em "globalização", um gemido saiu-lhe dos lábios quando ele disse que "o projeto da esquerda não tinha mais viabilidade", as unhas vermelhas se lhe cravaram com ardor quando ele, mais excitado, beijou-lhe a boca passando-lhe baixinho a palavra "mercado", como quem passa um chiclete.

Argemiro teve a certeza de que sua virilidade culta estava mudando a posição da moça, como, de resto, tentava fazer com o PT. A linda Lurdinha seria sua, ele que tanto sofria por ver o seu PT apoiando Maluf e ruralistas por falta de projeto.

— Meu amor, estamos diante de uma revolução tecnológica, e isso provoca o surgimento de novas relações de produção. O PT não pode continuar com *slogans* abstratos!

Lurdes tremia febril em seus braços. Ela trincava os dentes, e seus lábios vermelhos estavam pálidos. Ele viu que suas palavras inteligentes surgiam efeito.

— Repete: "relações de produção"... isso, meu amor!... Você está lindo falando estas coisas.

Ele, que era chamado de boiola por suas posições moderadas, sentiu-se mais e mais viril enquanto Lurdes apertava-o com loucura entre suas coxas. Latejando de excitação, Argemiro lançou seu mais rico *slogan*:

— Precisamos tentar uma "terceira via", Lurdinha...

— Que é isso, meu amor? — gemeu a menina.

— "Terceira via", uma outra posição, querida...

Foi decisivo. Lurdes mordia as palavras com loucura. Sua língua virou uma sarça de fogo, enquanto ela gritava:

— "Terceira via" é... "aquilo", não é? Meu pequeno-burguês sem-vergonha!... meu decadente gostoso!...

Argemiro não entendia mais nada, mas foi entrando no paraíso... A luz lilás no espelho fumê refletia seus corpos enlaçados... Lurdes gemia de paixão:

— Meu pequeno-burguês!... Meu neoliberal! Devora a classe trabalhadora! Explora a tua inimiga da "Articulação de Esquerda", vai... vai!...

Ele beijava com ardor:

— Ohhh... meu neoliberal de direita com posições perversas da ala mais retrógrada do capitalismo! Vem, me possua, me ama! Meu Maluf!

Sem dúvida, foi humilhante para a sutileza ideológica de Argemiro, mas nunca mais ele viveria uma noite de paixão como aquela.

"Diadema Nunca Mais" é o Melhor Filme Brasileiro

As imagens espantosas colhidas pelo cinegrafista amador mostrando a violência da PM contra os cidadãos de periferia têm mais força que muito filme moderno. O que escreveria sobre elas um "crítico especializado"?

Como cinema, foi o melhor filme brasileiro dos últimos tempos. Não tem os efeitos especiais dos filmes americanos, não tem diálogos, apenas gritos e sussurros, não tem estúdio, só uma locação suja e pobre, atores desconhecidos e, no entanto, horrorizou muito mais. Por quê?

Não é uma produção cara, tendência perigosa do cinema brasileiro atual; ao contrário, é uma realização popular dos produtores Ratão e Negão, ligados ao tráfico (*helás*!).

"Diadema Nunca Mais" aborda um tema atualíssimo, mas sem os costumeiros apelos políticos por uma mensagem "positiva"; limita-se a expor o conflito entre excluídos sem farda e excluídos disfarçados de homens da lei, num buraco do inferno, um *set* de lama perdido (permitam-me) lá no cu do Judas.

Atores: soldados boçais e sádicos, influenciados pelo cinema americano (ver adiante) e civis recrutados ao acaso, no melhor estilo *ad lib* do "cinema-verdade". O resultado é um trágico "documental", em que elementos ficcionais se mesclam ao real, rica vertente da arte "empenhada".

O ponto de vista do *metteur en scène* (diretor-ator) é o de uma câmera-personagem. Assim, o diretor se oculta, em vez de interferir com gestos largos, mandar repetir, gritar por megafones. O diretor (e, por extensão, todo o estilo narrativo) se esconde como um fugitivo — será descoberto? Esse suspense povoa toda a ação e acrescenta um tremor às imagens. Não mais o diretor do "ponto de vista de Deus", como no cinema de um, digamos, Fellini, mas o diretor do ponto de vista dos ratos.

A câmera esteve adstrita a um só ângulo, sem *travellings*, sem gruas, sem as luzes das grandes produções como, por exemplo, *O Paciente Inglês*. Essa limitação, contudo, não tirou do autor-diretor sua inventividade. Dizem que ele até já foi cinegrafista da Globo (devia ser recontratado), precisão profissional que se adivinha no belo *camera work* que transforma economia em tensão.

Alguns momentos me lembram a sinistra *mise-en-scène* de Jean-Marie Straub (em *Nicht Versonht*), diretor alemão que os desinformados clipeiros não conhecem, mas que criou o "plano saturado", em que a mórbida insistência nos tempos longos nos faz partícipes de uma verdade insuportável.

Em alguns momentos, até evoquei o longo "plano-seqüência" de Antonioni em *O Passageiro* e também a cena final de *Nostalgia* de Tarkovski. Mas isso são preciosismos de cinéfilo. Importa o impacto dramático conseguido pelo câmera e por seus produtores, Ratão e Negão.

Essa emoção se deve muito ao roteiro e aos personagens. O filme parte de uma sábia inversão dramática, o que provoca um corte na expectativa do público: nele, o bem é o mal e o mal é o bem. Os mocinhos são bandidos e os bandidos... Não diria mocinhos, já que ninguém sabe naquele *Death Valley*, naquele *OK Corral* quem leva o que em seus corações sombrios, mas são, no mínimo, vítimas.

Esse procedimento dramático, digno de um Robert Towne (no roteiro) ou mesmo de um Samuel Fuller e seus personagens inesperados, já tira das platéias a expectativa de uma remissão moral (*redemption*) ao final da fita.

A espera de uma *catarsis* purificadora fica interdita. Ninguém irá para a cama com a tranqüilidade de que um Bem sempre triunfará. Ratão, Negão e Francisco X aboliram não só o tradicional *happy end*, como ainda deixam a obra sem final, abrupta, moderna, o que nos faz inseguros e emocionados como há muito tempo não ficávamos. Por quê?

É claro que já nos chocamos com Carandiru e seus 111 cadáveres (filme mais épico), mas foi um choque *a posteriori*, um choque "de ausência" diante de um massacre de muitos, o que dissolve nossa dor. (Já houve até coisa pior como aquela cela-forno onde torraram 30 presos, com uma bomba de fogo. Até os tênis derreteram, lembram-se? Mas isso são águas passadas, flores pisadas, ahh... "Verões de 87"!...)

Já "Carandiru, a Missão" (que foi comandada, aliás, pelo oficial que hoje investiga o crime de Diadema — oh, Deus, como entender?) nos chocou como uma *Lista de Schindler* corintiana; aqueles corpos nus, cozidos à linha grossa, nos horrorizaram "politicamente".

"Carandiru, a Missão", vimo-lo depois de acontecido. Estes, vimos ao vivo, aqui e agora. Carandiru foi narrado no pretérito perfeito, como nos filmes americanos. Este foi no presente, como um Godard ou um Hal Hartley.

"Diadema Nunca Mais" é um filme que nos feriu pessoalmente. Tivemos medo. A produção impecável de Ratão e Negão (os Barretões da favela) nos brindou com uma identificação apavorada com as vítimas. Podíamos estar lá, apanhando na sola do pé ou levando um tiro displicente na nuca. Isso se deve ao sábio trabalho de câmera, que alterna elegantemente lentas *zoom-ins* com planos gerais (*long shots*) áridos e panorâmicas reveladoras.

Uma das cenas mais pungentes é narrada praticamente *off screen*, quando o PM leva o neguinho-pagodeiro (parecia um Grande Otelo) para trás do muro, numa sugestão quase sexual. Nesse ponto, a câmera fecha em *close* tentando "pular" o muro que encobre as porradas que adivinhamos pelos gritos e por silhuetas de cassetetes e braços desesperados. A narração de Marcelo Rezende também acrescenta tragédia à cena, quando surge o branquinho frágil e ele avisa: "Vejam este homem. Ele vai morrer!" O choque é total, como se nós tivéssemos na mão o destino do pobre rapaz.

A gestualidade dos atores PMs é visivelmente influenciada pelo cinema americano recente. O "Rambo", por exemplo, o PM Otavio Gambra, tem um estilo típico do Actors Studio de NY, principalmente quando ele passa de um repouso calado e sombrio para a súbita bofetada, lembrando as brutas explosões de um Charles Bronson.

Outra novidade interpretativa que aumenta nosso horror é a falta de sincronia entre o pavor das vítimas e a calma divertida dos PMs. É como se ali fosse um *playground* militar, uma gincana alegre de machões exibicionistas, uma "farra do boi". (Note-se também um leve tom pederasta entre os milicos, competindo em braveza e no viril manuseio dos pobres-diabos "estuprados".)

Por último, o filme de Diadema, temos de confessar, nos dá um raro tremor *voyeur*. Não é à toa que já vimos repetidamente as bofetadas e porradas sem nos cansar, até com prazer. Por quê? Sexo. Trata-se da visão de cenas íntimas, "cenas primitivas" como dizem os analistas, quase uma orgia *gay* simbolizada.

Alguém está sendo punido em nosso lugar. Afinal, todos nós temos culpa nisso tudo, maus e bons, todos temos culpa pelas prisões cheias, pelos corporativismos que impedem reformas administrativas, pelo desejo de exterminar bandido que tantas vezes expressamos. Ou seja, os PMs não sabem por que estão batendo, mas nós sabemos por que estamos apanhando.

A Sexualidade Explica Hoje as Práticas Políticas

Chega de política. Vou falar de sexo. Antes, havia a "sexpol", bandeira da política sexual dos anos 60. Hoje, temos no máximo a "polsex", ou seja, como as ideologias dançaram, só a sexualidade explica os rumos do mundo e, claro, o Brasil, nosso grande motel das ilusões perdidas. O sexo comanda o espetáculo político. Que taras estão rolando? Vamos lá.

- "Coito interrompido" — Prática comum no Congresso. Chama-se bloqueio ou DVS. Impedir o gozo do outro, impedir que qualquer mudança se fertilize. Visto pelo povo, provoca angústia de castração e depressão sexual.
- Sexo de governo a governo:

Tancredo Neves: "Coito interrompido" brabo. Brasil fica sem gozar.

Sarney: Casa com a "pátria viúva". A pátria-Dona-Flor queria o primeiro, mas acabou com o segundo, ruim de cama.

Collor: Símbolo fálico bonapartista. Era tão macho (comera atrizes e cantara cunhadas). Os machos nacionais tinham uma quedinha *gay* por ele quando diziam: "Corrupto sim, mas, que ele é macho, é..."

Itamar: Amor solitário e romântico. Caiu nas garras da Lilian Ramos. Xotinha voadora quase acaba com o governo. Itamar desprezava as namoradas carentes. Seu verdadeiro amor sempre foi FHC, que o abandonou numa dor-de-corno cheia de lágrimas e vinganças.

FHC: Adepto do "donjuanismo masoquista" (seduz tanto virgens quanto meretrizes). O "donjuanismo masoquista" seduz, mas não come as presas, aliadas que acabam traindo-o sadicamente.

- Troca-troca, ou "meia", como dizem os cariocas — O jogo político ressuscita essa prática pederasta de fundo de quintal. No calor dos conchavos, nos bafos secretos dos cantos do Congresso, ouvimos seu lema: "É dando que se recebe." Geralmente o governo dá primeiro e depois o comedor foge, gritando: "Otário, otário..."
- Pátria amada — A mãe sagrada, idolatrada, salve salve na cabeça dos brasileiros. Complexo de Édipo mal resolvido. A "mãe-pátria" é vista como nossas florestas virgens, cachoeiras eróticas, índias nuas ameaçadas pelo estupro do inimigo estrangeiro (vide Hino Nacional). Só o Estado-pai, de bigode feroz, pode ameá-la. Se deixarmos (crêem), o neoliberalismo estuprador invade o corpo puro da pátria amada.
- Pátria amante — A cada privatização, o nacionalismo-de-porta-de-leilão imagina a mãe-pátria cada vez mais sem-vergonha, de ligas negras e *lingerie* verde-e-amarela, dançando a dança da garrafa com os gringos.
- Prostíbulo e virgindade — Essa dualidade pureza-prostituição percorre a vida partidária. Ou você está na orgia das alianças ou na virgindade petista. O PT parece aquelas virgens pobres que, sem assunto, sem programa, só têm sua pureza como valor. Mas, como os noivos são cafajestes, nenhuma aliança é celebrada, e o PT vai ficar para titia.
- Masturbação — nhenhenhém praticado com a mão direita e a mão esquerda. Os políticos ficam na bronha ideológica, imaginando grandes cópulas que nunca chegam, pois preferem a solidão do pecado ao mundo real.

- Voyeurismo — Vício popular que surgiu na democracia. Único consolo para os impotentes como nós: ficar vendo as sacanagens alheias, agora em cores e som, com o advento dos gravadores e videocassetes. Esse é nosso voyeurismo *underground*, alternativo. Voyeurismo *chic*: TV Senado, onde podemos ver, por exemplo, a excitante briga conjugal de ACM com Pedro Simon, entre coices e beijos de amor.
- Dança da garrafa na beira do abismo — "Vai abaixadinho vai, curva a cabecinha vai, ajoelha direitinho vai, agüenta a trutazinha, vai!" É nosso atual hino-pagode, que descreve as posições passivas do povo diante dos donos do poder.
- Ejaculação precoce-urgência do Executivo — Logo frustrada pela lentidão dos "empata-fodas" de direita e de esquerda.
- Fidelidade partidária — Tão esquecida quanto a conjugal, nesses tempos adúlteros.
- Êxtase sexual místico — Já que a política não está estimulando adesões apaixonadas, temos a islamização dos evangélicos. Ver esse filme pornô-religioso nas madrugadas da TV.
- "Passaralhos" ou peruzinhos voadores — Perigosos pênis imperialistas que rondam nosso mercado financeiro. Qualquer subida de juros no buraco negro da miséria.
- Pau na mesa (bater com) — Expressão de fundo erótico claro, significando o desejo que o povo tem de ver a virilidade eventual do Príncipe.
- Bissexualidade ideológica — Encontradiça no PSDB, gemendo nos muros de Brasília.
- *Ménage à trois* — PFL, PMDB e PSDB. Ou PT-PDT-PPB...

E por aí vamos. São perversões sexuais variadas, como "orgia de gastos", "surubas sangrentas de necrofilia" (vide o erótico assassinato do

PC), "brochuras administrativas", "defloramentos de fundos de pensão", "*felatio* e cunilingüismo" nas tetas do Estado, "cópulas secretas" nos precatórios, arrombamentos de Banco do Brasil, juízes estupradores, em suma, toda uma gama de taras sexuais para cima de nós, que nunca temos o orgasmo total do processo e que, breve, fundaremos o MSC, Movimento dos Sem-Calças, daqueles que não param de levar ferro.

Messias Americano e Seus Astronautas Suicidas

Os tempos são tão duros que vamos ficando com pele de rinoceronte. Temos de desviar os olhos da miséria, dos meninos de rua, dos espancados da favela. Eles são os "outros".

Dói na gente vê-los sofrer, mas é uma dor com alívio, com a secreta euforia de que escapamos do meio-fio.

Choquei-me com Diadema e com suas imagens pedindo socorro. Mas fiquei com mais pena ainda dos 39 suicidas americanos de Santa Fé. Por que será? Afinal são um bando de babacas dentro de uma mansão da Califórnia, que gravaram um testamento em *tape*, despedindo-se de nós. São místicos *hi-tech*.

Nossos líderes místicos são canalhas mercadológicos, Jesus — executivos com pinta de meganhas — basta ver a TV de madrugada, com aqueles bispos de jaquetão enganando a multidão de desgraçados, tirando-lhe os dízimos.

Nossos infelizes evangélicos querem um messias prático que lhes dê emprego, dinheiro. Sua fé obediente denuncia uma ponta do capitalismo.

O messias americano e seus astronautas suicidas queriam a morte, na outra ponta do mesmo capitalismo. Nossos favelados são os excluídos do consumo; eles são os excluídos no consumo.

O que me doeu mais em suas mortes é que eles são suicidas por esperança. Eles não tiveram a dor súbita que enlouquece e leva a um tiro na cara ou às rodas de um trem.

Eles, coitados, organizaram tudo, criaram uma *home page*, se vestiram direitinho, na urgência de encontrar um *paradise now*, um messias já. O líder, claro, é um típico paranóico, um Dr. Schreder-2000. Mas morreu junto, como o capitão de uma espaçonave. Eles morreram por esperança. O que me dói é que eles foram para uma Disneylândia letal, movidos pela utopia de um deus tecnológico. Morreram no conto do vigário do "mercado transcendental".

A morte desses pobres *losers* do sonho americano nos mostra a fome de poesia que rola do outro lado da fome de comida. No fim do milênio, estamos com medo de perguntar: E, afinal, o ano 2000 chega e nada rola? Qual é o sentido de tudo isso?

Era para este *videogame* lúdico que a humanidade lutou milênios? Não se chega a nenhum milagre, nem que fosse a música "nietzschiana" de um cotidiano dionisíaco?

Só nos resta o deus-*software* que os americanos ficam procurando com o Hubble entre as galáxias, enquanto os favelados uivam aqui embaixo. E nós, falando em globalização, ainda não fizemos a reforma agrária. Isso é que são "idéias muitos anos-luz fora do lugar".

O que é triste na morte desses caras é que estavam obedecendo a *slogans* de publicidade. Todos com tênis Nike.

Acho que estavam seguindo as ordens da companhia: "*Just do it*!" ("Faça logo!"). Todos arrumadinhos, todos com moedinhas de 25 centavos — para quê? Para jogar no cassino de uma grande Las Vegas do hiperespaço?

A imprensa americana debochou dos viajantes do cometa, como criticou os pobres-diabos de Waco, Texas, como odeia cada vez mais os malucos que estragam a festa liberal.

Provam que a liberdade individual está ficando insuportável, pois não está revelando nenhum paraíso. O socialismo não rolou, pois a escrotidão do desejo humano não deixou.

A arte está morrendo à míngua e, se antes os artistas chocavam a burguesia, hoje a burguesia choca os artistas. O sexo travou na caretice e no medo da morte e, mesmo se realizássemos a imortal suruba, o sexo se esvaziaria como utopia de prazer. As galáxias surgem mais longe e nada de Deus aparecer.

Será que um dia, no espaço-tempo de 15 bilhões de anos-luz, enxergaremos a nós mesmos na outra ponta do universo?

Ninguém mais quer ser livre. Vemos isso nos comícios evangélicos.

Outro dia, um canalha de jaquetão gritava na TV Record: "Não tenham pensamentos livres, o diabo é que os inventa!" Eu me indignei, mas depois pensei melhor: eles estão ali para isso mesmo, para ter o imenso alívio da falta de liberdade, o consolo de ter um líder, um pastor, um jesus de gravata, o que pintar. Essa fome de sentido, esse desejo de obedecer, gerou o nazismo. Aqui, nos famintos, vai se "islamizar". E lá, que Hitler técnico vai surgir?

Numa sociedade da eficiência narcisista, a solidão dos anônimos, dos incompetentes, dói cada vez mais. O suicídio dos 39 foi um ato de show, uma tentativa de serem famosos por 15 minutos. A angústia que os "clones" trouxeram é sabermos que a alma não existe, que o mistério acaba, que, se é possível fabricar, é banal matar.

Nosso último sonho de anjo está acabando. Deu-me muita pena ver aqueles pobres-diabos querendo ser felizes, depois de tantos anos de frustração, castrados, solitários, loucos. Eles queriam uma irmandade, queriam um paraíso técnico, uma paz qualquer.

Pensando bem, talvez eles estejam certos, os 39 viajantes desse "Star-trek". Morreram felizes, com seus tênis Nike modernos. Talvez estejam melhores que nós, finalmente fazendo sucesso, na cauda gelada do cometa, girando entre galáxias, perto de Deus.

O Acaso e as Minhocas Movem a História do País

As minhocas me dão mais medo do que as serpentes. Os grandes répteis estão à flor da terra, prontos para a picada, mas são visíveis. Os pequenos vermes vão roendo as nossas carnes em silêncio. Muito antes de morrer, já fomos roídos, pelos idiotas ou pelos pequenos detalhes. A "pequenas história" brasileira também me dá medo. Loucos por um controle do mundo, acreditamos nas grandes causas das "forças produtivas", quando nossa realidade se move muito pelo detalhe ínfimo de um gesto ou de uma neurose. Gostaríamos que a História do Brasil fosse movida por grandes "revoluções". Mas, a onipresença do Estado patrimonialista é tão forte em nossa história, que somos muito movidos pelos detalhes. Temos uma fome do poema épico e só nos restam os folhetins e melodramas. Queremos Homero e sempre recebemos Janete Clair. O Estado brasileiro está programado para impedir os grandes movimentos, a sociedade civil está estreando agora, de modo que somos movidos pelas minhocas que escapam pelas frestas do processo.

Nelson Rodrigues (sempre este homem fatal!) descobriu o óbvio, como ele próprio disse. Ali na mixaria, na obra das minhocas, no Acaso estão nossos segredos. O próprio Nelson me contou uma vez que foi convidado pelo Oduvaldo Vianna Filho (o grande poeta dividido entre a política e a poesia) para escrever com ele um roteiro sobre uma mulher que trai o marido: "O adultério". Nelson aceitou. Dias depois, ele me telefona e diz: "Rapaz, parei com o roteiro. O Vianinha queria que a mulher fosse para a cama do amante movida apenas pelas relações de produção..." Este caso é exemplar.

Na História recente, quantos casos temos visto. A tentativa de reformas políticas está fazendo sair da toca todas as toupeiras e roedores da resistência, que fingem defender o Estado, mas só defendem a própria pele. Quantos exemplos de acaso e da *petite histoire* recentemente.

Vejamos.

Depois das lutas épicas pela abertura democrática, vem a vitória de Tancredo Neves para a Presidência. Viva o Brasil novo! "Liberdade abre as asas sobre nós", vitória épica! No dia da posse, quem vem andando pela rua, de gravatinha borboleta, chapéu coco e bengalinha? Um vírus, um micróbio que entra na barriga do nosso líder e mata-o diante da nação esbugalhada. Um micróbio mudou a História nacional. E quem entra no lugar? O bigode flamejante de outro homem, egresso da ditadura que acabava. E os detalhes continuam a nos assolar. Sarney chama um homem de bem corajoso para fazer o Plano Cruzado. Só que Dilson Funaro, heróico e messiânico, lutava contra um câncer devastador. Teria Funaro decretado a moratória unilateral para a banda internacional se não estivesse batido do vento da morte próxima? E depois — a "pequena história" atacando — teria Sarney impedido as correções de rumo do Plano, se não fossem os interesses das eleições de 86? Como saber?

E — mais tarde — teria Collor sido eleito se não fosse o rancor profundo de Miriam Cordeiro, denunciando Lula (oh, História! Teu nome é mulher...)?

E, mais melodramático ainda, teria havido o *impeachment* se Thereza Collor não fosse tão linda, dentes de pérola, pele de maçã, uma doce Sonia Braga dos canaviais? Teria havido o *impeachment* sem o infinito ciúme de Pedro Collor pelo irmão que, dizem, cantou-lhe a mulher? Teria se desencadeado este ódio negro, fratricida, que fez o país mudar num dos poucos movimentos de massa "ativos" que tivemos, o dos caras-pintadas? Aliás, teria havido "caras-pintadas" sem a série da Globo que Gilberto Braga escreveu antes, "Anos Rebeldes"? Teria havido? O virtual também é realidade.

E mais: teria o *impeachment* rolado sem Eriberto, o motorista (lembram-se) que declarou a mais bela frase: "E precisa ser mais que patriota?" E sem o Fiat Elba, teria havido mudança histórica? Eis a verdade: Collor foi eleito por uma enfermeira e derrubado por um motorista. Quantos detalhes bestas, meu Deus. Lembro-me da fábula de Ray Bradbury que imagina que a vida na terra se modificou toda por um viajante do tempo que, sem querer, pisa numa borboleta pré-histórica, muda a cadeia da evolução e o futuro todo. O Brasil parece isso. Teria Pedro Collor morrido de câncer na cabeça, um ano depois de os médicos examinarem seu cérebro na frente da imprensa (eu estava lá no auditório do Hotel Maksoud quando ele perguntava aos neurologistas: "Eu tou maluco?"), se não tivesse comprado esta luta de morte dentro do próprio sangue? E hoje, teríamos FH no poder se Itamar não o idealizasse como um príncipe da sociologia? E o Plano Real não foi quase por água abaixo por uma inconfidência de parabólica do Ricupero conversando em *off* com o Carlos Monforte? E se não tivesse entrado o Ciro Gomes, com sua macheza até meio truculenta, mas essencial naquele momento de xotinha de Lilian Ramos outras borboletas do tempo, que teria havido? Quase que aquele "monte de Vênus" muda a República. E se o México não tivesse tido a crise de caixa premonitória, pouco antes da posse de FHC, não teríamos entrado por um cano deslumbrante, em nossa euforia neoliberal inicial? Acasos. "Feelings", como cantaria Morris Albert. E qual a relação entre as picaretas na cabeça de Ana Elizabeth, ainda tonta do vinho francês do restaurante, antes de ser enterrada viva, e a busca de moralidade na CPI dos anões do Orçamento? Hoje, vemos que a democracia, como dizia Sergio Buarque, sempre foi entre nós um mal-entendido. Não só para disfarçar o eterno patrimonialismo, mas para ser o picadeiro dos *fait divers*. "Democracia", para nós, ainda é a arena delirante para acontecimentos isolados: índios em chamas, PMs sangrentos e sangrados, mortes em Caruaru, tudo que é micro sendo sugado para macro. E vice-versa. Nossas instituições políticas foram montadas cuidadosamente para manter tudo igual, nossa resistência à mudança é tanta que só rolam os acasos e acidentes, mais importantes, às vezes, que os movimentos sísmicos da produção.

Graças a Deus o Estado-papai faliu e a sociedade civil vai ter de se fortalecer para vocalizar seus desejos. O Estado-papai não tem mais grana para avalizar novas ilusões e bancar novos delírios. Ao menos para isso a "globalização" vai ser útil — vai acabar a avalização estatal das ilusões e lero-leros. Vamos ter de crescer e aparecer, para impedir que a História do Brasil seja mudada por um micróbio ou por uma xotinha voadora.

ÍNDICE

markgraph

Rua Aguiar Moreira, 386 - Bonsucesso
Tel.: (21) 3868-5802 Fax: (21) 2270-9656
e-mail: markgraph@domain.com.br
Rio de Janeiro - RJ